L'Art du Québec au lendemain de la Conquête

(1760-1790)

Expositions

Musée du Québec, Québec
23 juin — 18 septembre 1977

Musée des beaux-arts, Montréal
20 octobre — 20 novembre 1977

L'Art du Québec au lendemain de la Conquête

(1760-1790)

Une exposition préparée par le Musée du Québec

Couverture

Paul Morand
Baguette de bedeau (détail)
Argent, vers 1825
Fabrique de Varennes (Verchères)
Dépôt au Musée du Québec

ISBN-0-7754-2842-6

Conception graphique: Éditions du Pélican

Maquettistes: Vigneault & Pichette

Impression: Stellar

Dépôt légal: troisième trimestre 1977
Bibliothèque nationale du Québec

PRÊTEURS

Archevêché de Québec

Évêché de Chicoutimi

Literary and Historical Society of Quebec, Québec

Fabrique de L'Islet, L'Islet

Fabrique de Notre-Dame de Québec, Québec

Fabrique de Rivière-Ouelle, Kamouraska

Fabrique de Saint-Charles, Bellechasse

Fabrique de Saint-François (Île d'Orléans), Montmorency

Fabrique de Saint-François-Xavier de Batiscan, Champlain

Fabrique de Saint-Joseph de Deschambault, Portneuf

Monastère des Augustines de l'Hôtel-Dieu, Québec

Monastère des Ursulines, Québec

Monsieur Jean Soucy, Québec

Musée du Québec, Québec

Musée du Séminaire de Québec

Provenance des photographies

Les photographies reproduites au catalogue, sont du Musée du Québec, à l'exception des suivantes: Inventaire des biens culturels: nos 1, 8, 17, 37, 39, 49.

Table des matières

Introduction 9

Catalogue 15
Claude Thibault

Planches en couleurs 73

La vie culturelle au Québec (1760-1790) 89
Claude Galarneau

L'architecture au Québec (1760-1790) 103
Luc Noppen

Introduction

Québec au lendemain de la Conquête se relève péniblement des suites de la campagne militaire qui a laissé des trous béants dans les murs de ses églises et bouleversé la vie de ses villages paisibles. On se rend compte subitement que plus rien n'est pareil alors que rien n'a changé: le pays est immense, l'océan n'a pas de fin. La neige est souvent plus cruelle que l'histoire. La mère patrie des uns et des autres est au bout du monde. L'homme retournera à ses champs, le prêtre à son autel, les notables et les commerçants vaqueront à leurs affaires. Des officiers de l'armée étrangère, éblouis par les paysages qu'ils découvrent, enverront à leurs familles inquiètes ces aquarelles aux teintes vives dont la lumière émerveillera.

Des voiliers arborant des couleurs différentes remontent le fleuve. Indiens, Canadiens, Anglais devront maintenant vivre ensemble.

La France semble encore un peu plus loin, encore un peu moins accessible. Les artistes ne sont pas nombreux et il y a fort à faire. Architectes et sculpteurs élèveront les églises que les peintres orneront de pieuses visions de saints et de saintes. Les orfèvres fondront des pièces d'argent pour façonner ces calices et ces ostensoirs dont la beauté devra être digne de la gloire de Dieu. Jour après jour, une société s'organise et s'affirme. Des notables voudront laisser leur portrait à la postérité, on s'offrira aussi de belles argenteries de table. Comme il lui est presque impossible de renouveler ses sources d'inspiration, l'artiste canadien s'en tient à la tradition. Plus tard, il pourra de nouveau aller en France et s'instruire dans les grands ateliers et les académies. D'autres, formés là-bas, viendront à leur tour s'installer dans cet étrange pays qui, sans le savoir peut-être et avec de modestes moyens, a déjà inventé une culture qui lui est propre.

Le Musée du Québec possède une importante collection d'oeuvres de la période allant de 1760 à 1790. Grâce aux longues recherches du conservateur de l'art ancien, M. Claude Thibault, l'exposition *L'Art du Québec au lendemain de la Conquête* nous présente une image fidèle de cette époque. Nous tenons à souligner également la précieuse contribution de MM. Claude Galarneau et Luc Noppen, de l'Université Laval, à la rédaction du catalogue. Nous remercions les collectionneurs, les organismes et les institutions qui ont bien voulu nous consentir le prêt de certaines pièces d'une valeur inestimable. Nos remerciements s'adressent aussi à toutes les personnes qui ont collaboré à l'organisation de cette exposition.

Laurent Bouchard
Directeur du Musée du Québec

Catalogue
Claude Thibault

PEINTURES
DESSINS

Aide-Créquy, Abbé Jean-Antoine
Québec, 1749 — Québec, 1780

1. SAINT LOUIS TENANT
LA COURONNE D'ÉPINES

Huile sur toile. H. 1,575; L. 1,854. Signé et daté dans le coin inférieur droit: «J.A. Créquy p^{ter}/pinxit. 7$^{\grave{a}}$ die Aug. 1777». Restauré par les religieuses du Bon Pasteur de Québec vers 1930.

PROVENANCE: À l'origine, le tableau était placé au-dessus du maître-autel dans l'église de la paroisse Saint-Louis de l'Île-aux-Coudres (Charlevoix); Palais épiscopal, Chicoutimi.

EXPOSITIONS: 1965, Québec et Ottawa, n° 56; 1967, Québec, n° 1, repr.

BIBLIOGRAPHIE: 1878, Trudelle, p. 115-116; 1914, Roy, p. 297; 20 décembre 1934, Morisset, p. 4; 1936, Morisset, p. 74; 1941, Morisset, p. 54; 1960, Morisset, p. 54; 1966, Harper, p. 38, repr.

Saint-Louis, roi de France, est le patron de la paroisse de Saint-Louis de l'Île-aux-Coudres. Le tableau puiserait son inspiration dans une gravure de Hyacinthe Rigaud et reproduirait les traits du jeune roi Louis XVI.

Chicoutimi, Palais épiscopal

Alliés, (?) Louis
XVIIIe siècle

2. LE MARTYRE DE ROBERT LONGÉ

Huile sur toile. H. 2,108; L. 0,94. Inscription au bas de la toile: «fait du temps de Mon^{r} Robert Longé Mart^{r}/ Inventé dessiné et peint par (?)... Alliés en 1764». Tableau restauré par J. Purves Carter en 1908.

N° D'INVENTAIRE: S.M.E. 334

PROVENANCE: Coll. Joseph Légaré; Musée du Séminaire de Québec, 1874.

CATALOGUE: 1852, Québec, n° 61; 1908, Québec, n° 2; 1913, Québec, n° 182; 1933, Québec, n° 334.

BIBLIOGRAPHIE: 1941, Morisset, p. 57; 1970, Harper, p. 7.

Québec, Musée du Séminaire de Québec

Anonyme
XVIIIe siècle.

3. PORTRAIT DE
CLAUDE-MICHEL BÉGON
La Martinique, 1683 — Montréal, 1748

Huile sur toile. Ovale: 0,711 × 0,61. Non signé. Probablement une oeuvre québécoise de la première moitié du XVIIIe siècle.

PROVENANCE: Acheté de la famille du marquis de Rancougne en 1932; coll. Archives nationales du Québec; Musée du Québec, 1972.

EXPOSITIONS: 1951, Détroit, n° 68; 1967, Ottawa, Pages d'histoire du Canada, n° 70, repr.

Claude-Michel Bégon de la Cour, frère de Michel Bégon, Intendant de la Nouvelle-France, fut Gouverneur de Trois-Rivières de 1743 à 1748.

Québec, Musée du Québec

Anonyme
XVIIIe siècle

4. PORTRAIT DE LOUIS-JOSEPH, MARQUIS DE MONTCALM
Château de Candiac, 1712 — Québec, 1759

Huile sur toile. H. 0,815; L. 0,685. Non signé. Probalement une oeuvre québécoise du milieu du XVIIIe siècle. Tableau restauré par J. Purves Carter en 1908.

N° D'INVENTAIRE: S.M.E. 15

PROVENANCE: Coll. La Corne de Saint-Luc; coll. Jacques Viger; legs de l'abbé H.-A. Verreau à l'Université Laval en 1901.

CATALOGUE: 1908, Québec, p. 49-50, n° 313, repr.; 1913, Québec, n° 23; 1933, Québec, n° 15.

EXPOSITIONS: 1951, Détroit, n° 77, repr.; 1967, Ottawa, Pages d'histoire du Canada, n° 83, repr.; 1973, Kingston, n° 19, repr.

BIBLIOGRAPHIE: 1941, Morisset, p. 53.

Québec, Musée du Séminaire de Québec

Baillairgé, François
Québec, 1759 — Québec, 1830

5. PORTRAIT DE GASPARD-JOSEPH CHAUSSEGROS DE LÉRY
Toulon, 1682 — Québec, 1756

Huile sur toile. H. 0,792; L. 0,648. Non signé. Inscription, au verso, collée sur la toile: «Gaspard Joseph Chaussegros de Léry/chevalier de St Louis, marié à Marie/Irène Legardeur de Beauvais./(1er Ingénieur.)».

N° D'INVENTAIRE: A-67. 99-P

PROVENANCE: Madame Mary Alleyn Dumoulin, Ottawa; Musée du Québec, 1967.

EXPOSITIONS: 1975, Québec, n° 38, repr.

DOCUMENT: «Le 18 May 1786 — finit hier le portrait de M^{r}. de lerie le perre deffunt recue pour aujourdhui 4 Louis».
«Le 14 Mars 1787 — Jay travallée hier toute la journée chez M^{r}. delerie pour retoucher le portrait de Son perre et Je travallerez encorre toute lapres dinnée aujourdhui».
Archives nationales du Québec. Livre de comptes de François Baillairgé (1784-1800).

Québec, Musée du Québec

Baillairgé, François
Québec, 1759 — Québec, 1830

6. PORTRAIT DE GASPARD-ROCH-GEORGES CHAUSSEGROS DE LÉRY
Québec, 1771 — Grodno (Biélorussie), 1816

Huile sur toile. H. 0,819; L. 0,651. Non signé. Inscription au dos de la toile: «Gaspard-Roch-George Chaussegros de Léry/chevalier de St-Louis —/Mort à Grodno en (?) 1832,/ fut précepteur des enfants du monarque russe./».

N° D'INVENTAIRE: A-61. 142-P

PROVENANCE: Madame Geneviève de L. Roberts, Québec; Musée du Québec, 1961.

EXPOSITIONS: 1975, Québec, n° 39, repr.

DOCUMENT: «Le 4 Août 1787 — Commencée hier le portrait de Monsieur de lérie, jeune hômme de 15 a 16 ans. A raison de quatre louis».
Le 12 Septembre 1787 — livré à Monsieur Chaussé Grôs de léry, Le Portrait de Monsieur Georges son fils; il i a aux Moins quinze jours douvrage, Recue pour 4″0′0».
Archives nationales du Québec. Livre de comptes de François Baillairgé (1784-1800).

Québec, Musée du Québec

Baillairgé, François
Québec, 1759 — Québec, 1830

7. PORTRAIT DE LOUIS FROMENTEAU

Huile sur toile. H. 0,769; L. 0,615. Non signé. Vers 1812.

N° D'INVENTAIRE: A-76. 195-P

PROVENANCE: Coll. Isaïe Nantais, Loretteville; Musée du Québec, 1976.

Louis Fromenteau porte l'uniforme du 1er bataillon de la Milice sédentaire incorporée de la division de Trois-Rivières. Il servit comme quartier-maître complémentaire dans ce bataillon en 1812.

Québec, Musée du Québec

Baillairgé, Jean
Saint-Antoine de Villaret (Poitou), 1726 — Québec, 1805

8. PLAN DE LA RECONSTRUCTION DU CLOCHER SUD DE LA CATHÉDRALE DE QUÉBEC

Encre sur papier collé sur toile. H. 0,933; L. 0,54. Non signé. 1770.

N° D'INVENTAIRE: Cartable n° 1, plan n° 8.

PROVENANCE: Fabrique de Notre-Dame de Québec.

BIBLIOGRAPHIE: 1974, Noppen, p. 152, ill. 64.

Québec, Fabrique de Notre-Dame de Québec

Baillairgé, Pierre-Florent
Québec, 1761 — Québec, 1812

9. PLAN DU RETABLE, DE L'AUTEL ET D'UN CHANDELIER POUR L'ÉGLISE DE MASKINONGÉ.

Encre sur papier. H. 0,433; L. 0,414. Signé et daté sur la base du tombeau de l'autel et sous le chandelier: «invenit et fecit Petrus florentius Baillairgé natu minor 1790». Au verso: soumissions pour le retable de l'église de Maskinongé (1790) et de l'église de Saint-Roch (1792).

N° D'INVENTAIRE: A-69. 128-D

PROVENANCE: Mme Laval Chartrain, Québec; Musée du Québec, 1968.

Québec, Musée du Québec

Beaucourt, François
Laprairie, 1740 — Québec, 1794

10. PORTRAIT DE L'ABBÉ ANTOINE-MARIE MORAND
Montréal, 1724 — Varennes, 1773

Huile sur toile. H. 0,784; L. 0,638. Non signé. Vers 1765. Tableau restauré en 1959.

N° D'INVENTAIRE: A-55. 696-P

PROVENANCE: Tableau trouvé dans une maison de Varennes par M. Jean Palardy; Musée du Québec, 1955.

EXPOSITIONS: 1959, Ottawa, n° 2, repr.; 1967, Québec, n° 5, repr.; 1975, Sherbrooke, n° 6.

BIBLIOGRAPHIE: 1960, Morisset, p. 57.

L'Abbé Antoine-Marie Morand fut ordonné prêtre en 1749, nommé vicaire à Lauzon en 1750, puis curé à Varennes de 1760 à 1773.

Québec, Musée du Québec

Beaucourt, François
Laprairie, 1740 — Montréal, 1794

11. PORTRAIT DE MARIE-MARGUERITE DUFROST, DE LA JEMMERAIS, DITE MADAME D'YOUVILLE
Varennes, 1701 — Montréal, 1771

Huile sur toile. H. 0,754; L. 0,605. Signé dans le coin inférieur gauche: «F. Beaucourt, pinxit.»; dans le coin inférieur droit: «A Montréal, 1792».

N° D'INVENTAIRE: A-56. 421-P

PROVENANCE: M. Jean Désy, Montréal; Musée du Québec, 1956.

BIBLIOGRAPHIE: 1941, Morisset, p. 58; 1960, Morisset, p. 46.

Fondatrice de l'Hôpital-Général de Montréal et de la Communauté des Soeurs de la Charité. Une réplique de ce portrait est conservée à l'Hôpital-Général de Montréal.

Québec, Musée du Québec

Beaucourt, François
Laprairie, 1740 — Montréal, 1794

12. PORTRAIT D'EUSTACHE-IGNACE TROTTIER DIT DESRIVIÈRES
Montréal, 1727 —

Huile sur toile collée sur carton. H. 0,792; L. 0,633. Signé et daté au centre à droite: «F. ∴ Beaucourt pinxit/ A Montréal 1793». Tableau restauré en 1959.

N° D'INVENTAIRE: A-56. 297-P

PROVENANCE: Madame Jean-Paul Fortin, Québec; Musée du Québec, 1956.

EXPOSITION: 1962, Bordeaux, n° 1, repr. IV; 1965, Ottawa et Québec, n° 20; 1966, Toronto; 1967, Québec, n° 4, repr.; 1975, Sherbrooke, n° 7.

BIBLIOGRAPHIE: 1960, Morisset, p. 57-58, ill.; 1969, Harper, p. 56, ill. 45; 1974, Lord, p. 31-32, fig. 20.

Québec, Musée du Québec

Beaucourt, François
Laprairie, 1740 — Montréal, 1794

13. PORTRAIT DE MARGUERITE MAILHOT, ÉPOUSE D'EUSTACHE-IGNACE TROTTIER DIT DESRIVIÈRES
Montréal, 1735 — Oka, 1806

Huile sur toile collée sur carton. H. 0,795; L. 0,638. Signé et daté au centre à droite: «F.·. Beaucourt.. Pinxit. /Montréal.·. 1793». Tableau restauré en 1958. Ce portrait fait pendant au précédent.

N° D'INVENTAIRE: A-56. 298-P

PROVENANCE: Madame Jean-Paul Fortin, Québec; Musée du Québec, 1956.

EXPOSITIONS: 1958, Paris; 1959, Ottawa, n° 1, repr.; 1959, Vancouver, n° 96, repr.; 1966, Toronto; 1967, Ottawa, n° 40, repr.; 1972, Sherbrooke; 1975, Sherbrooke, n° 8, repr.

BIBLIOGRAPHIE: 1960, Morisset, p. 57-58, ill.; 1962, Harper, p. 413; 1969, Harper, p. 56, ill. 46; 1973, Reid, p. 45, ill.; 1974, Lord, p. 31-32, fig. 21; 1976, Godsell, p. 28-29, repr.

Québec, Musée du Québec

Beaucourt, François
Laprairie, 1740 — Montréal, 1794

14. PORTRAIT D'UN HOMME DE LOI

Pastel sur parchemin. H. 0,575; L. 0,419. Signé dans le bas à gauche sur le livre ouvert: «Montréal 1794».

N° D'INVENTAIRE: A-67. 197-D

PROVENANCE: Coll. Bernard Desroches, Montréal; Musée du Québec, 1967.

Québec, Musée du Québec

Beaucourt, François
Laprairie, 1740 — Montréal, 1794

15. PORTRAIT DE P. PANET

Pastel. H. 0,51; L. 0,395. Signé au dos dans le coin supérieur gauche: «P. Panet/ par F.M. de B.».

N° D'INVENTAIRE: A-68. 7-D

PROVENANCE: Coll. Bernard Desroches, Montréal; Musée du Québec, 1967.

Québec, Musée du Québec

Brekenmacher, Jean-Melchior (Père François)
-1732/-1756

16. PORTRAIT DU PÈRE EMMANUEL CRESPEL, RÉCOLLET

Huile sur toile. H. 0,81; L. 0,646. Non signé. Vers 1756.

N° D'INVENTAIRE: A-58. 187-P

PROVENANCE: Famille Du Moulin, Trois-Rivières; Madame Siméon Grondin, Québec; Musée du Québec, 1958.

EXPOSITIONS: 1959, Vancouver, n° 133, repr.; 1967, Québec, n° 20, repr.; 1975, Sherbrooke, n° 10.

BIBLIOGRAPHIE: 1960, Morisset, p. 39, ill.; 1969, Harper, ill. 25; 1973, Reid, p. 22-23, pl.

Québec, Musée du Québec

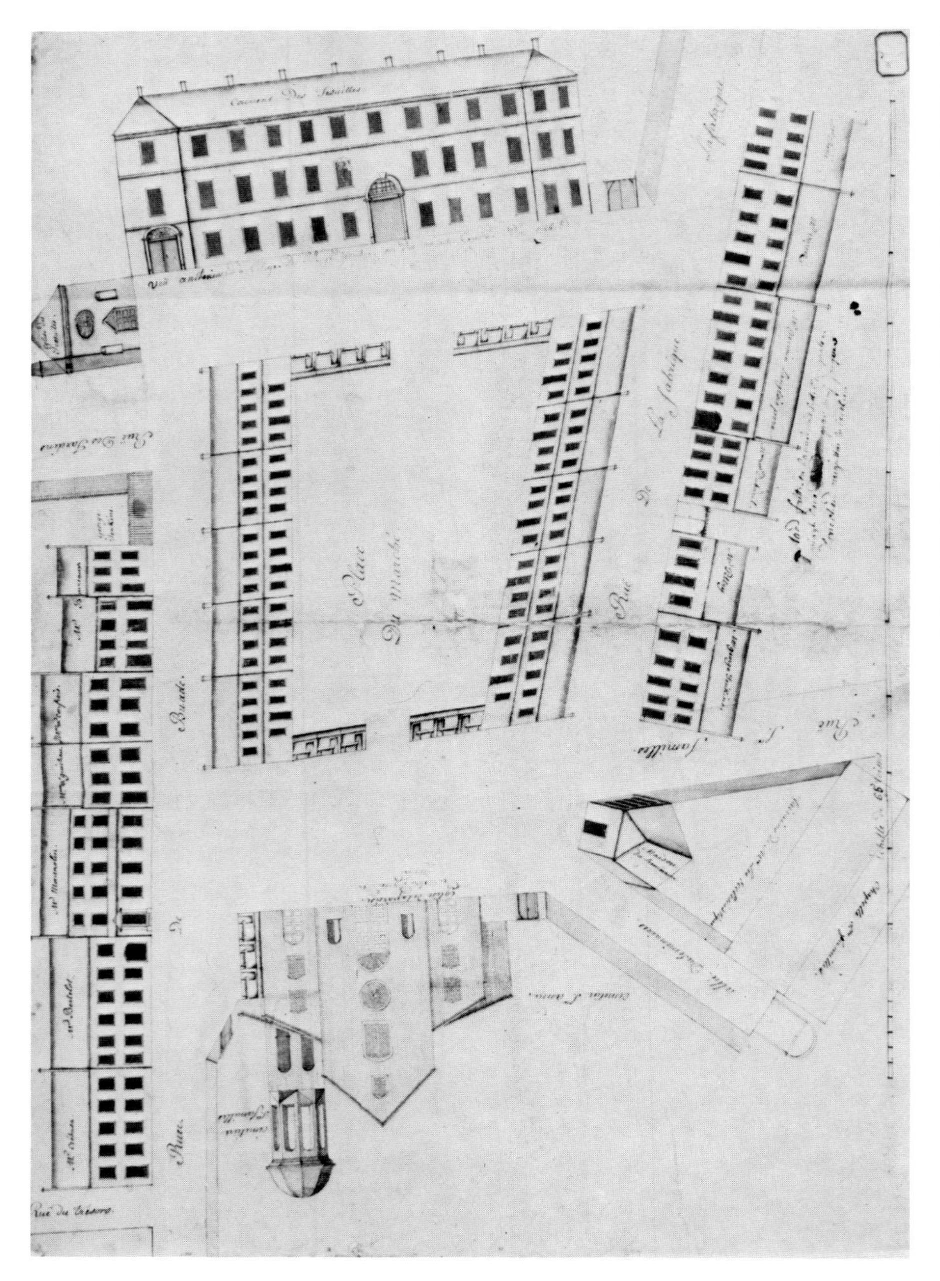

Dénéchaud, Jacques

17. PLAN DE LA PLACE DU MARCHÉ DEVANT LA CATHÉDRALE DE QUÉBEC (PROJET)

Encre sur papier collé sur toile. H. 0,54; L. 0,743. Signé au bas: «plan faitte en lannée mil Sept Cent quatre vingt Deux par moy jacques Dénéchaud marguiller en exercice».

N° D'INVENTAIRE: Cartable n° 1, plan n° 7.

PROVENANCE: Fabrique de Notre-Dame de Québec.

BIBLIOGRAPHIE: 1970, Québec, Commission d'Aménagement, Concept général de réaménagement du Vieux Québec.

Québec, Fabrique de Notre-Dame de Québec

Heer, Louis Chrétien de
Guebwiller (Alsace), vers 1755 — ap. 1800

18. PORTRAIT DE L'ABBÉ AUGUSTIN-DAVID HUBERT
Québec, 1751 — Québec, 1792

Huile sur toile. H. 0,812; L. 0,66. Non signé. 1788.

PROVENANCE: Fabrique de Notre-Dame de Québec.

EXPOSITIONS: 1952, Québec, n° 52, pl. 6; 1965, Québec et Ottawa, n° 10, repr.; 1954, Québec, n° 108, repr.

BIBLIOGRAPHIE: 1911, Têtu, p. 132-133; 1936, Morisset, t. 1, p. 83-84, 94-95; 1941, Morisset, p. 54-55; 1960, Morisset, p. 63-65.

DOCUMENT: «La coutume est venue à Québec de se faire peindre. Le portrait du curé est très vrai. J'ai fait Consentir Mgr L'Ancien (Mgr Briand) à se faire tirer, il n'est pas si bien». Lettre de l'abbé Gravé, supérieur du Séminaire de Québec à Mgr Jean-François Hubert, le 11 février 1788.

L'Abbé Augustin-David Hubert fut curé de la paroisse de Notre-Dame de Québec de 1775 à 1792.

Québec, Fabrique de Notre-Dame de Québec

Heer, Louis-Chrétien de
Guebwiller (Alsace), 1755 — ap. 1800

19. PORTRAIT DU CAPITAINE FRANÇOIS MAILHOT
Montréal, 1733 — Verchères, 1808

Huile sur toile. H. 0,708; L. 0,545. Non signé. Vers 1797.

N° D'INVENTAIRE: A-54. 78-P.

PROVENANCE: Mlles Gertrude et Lucie Lamothe, Montréal; Musée du Québec, 1954.

EXPOSITIONS: 1958, Paris; 1959, Vancouver, n° 151, repr.; 1962, Bordeaux, n° 6; 1965, Ottawa et Québec, n° 12.

BIBLIOGRAPHIE: 1960, Morisset, p. 65, ill.

François Mailhot fut officier au Régiment Royal Canadien mis sur pied par lord Dorchester en 1796 et dissout en 1802.

Québec, Musée du Québec

Heer, Louis Chrétien de
Guebwiller (Alsace), 1755 — ap. 1800

20. PORTRAIT DE L'ABBÉ JEAN-HENRI-AUGUSTE ROUX
Diocèse d'Aix, 1760 — Montréal, 1831

Huile sur toile. H. 0,737; L. 0,61.
Non signé. Début XIXe siècle.

N° D'INVENTAIRE: A-68. 129-P

PROVENANCE: Coll. Jean Palardy, Montréal; Musée du Québec, 1968.

EXPOSITIONS: 1974, Montréal, n° 16; 1975, Sherbrooke, n° 22.

Prêtre de Saint-Sulpice, l'abbé Jean-Henri-Auguste Roux arrive au Canada en 1794. En 1798, il est nommé supérieur du Séminaire de Saint-Sulpice à Montréal. Une réplique de ce portrait est conservée à la Ferme Saint-Gabriel à Montréal (Pointe-Saint-Charles). Le presbytère de Saint-Jean, Île d'Orléans, conservait un portrait, peint à l'huile, de l'abbé Roux (1893, Tanguay, p. 160).

Québec, Musée du Québec

Peachy, William

21. A VIEW OF THE CITY OF QUEBEC, THE CAPITAL OF CANADA, TAKEN FROM THE ROCK ON POINT LEVI

Aquatinte. H. 0,486; L. 0,65. Inscription au bas: «A View of the City of Quebec, the Capital of Canada, taken from the Rock on Point Levi, by W^{m}. Peachy, Octr. 23^{d} 1784/London, Published Novr. 1.st 1785, by J. Wells, N°. 22, charing Crofs». Au bas à droite: «Engraved by J. Wells».

N° D'INVENTAIRE: A-54. 77-E

PROVENANCE: The Old Print Shop, Inc., New-York; Musée du Québec, 1954.

EXPOSITIONS: 1959, Vancouver, n° 192.

William Peachy, aquarelliste anglais, résida au Canada quelque dix ans. Vers 1781, il fut attaché au bureau de l'arpenteur en chef, Samuel Holland.

Québec, Musée du Québec

SCULPTURES

Anonyme
XVIIIe siècle

22. SAINT-ROCH

Bois polychrome. H. 0,925. XVIIIe siècle.

PROVENANCE: Région de Montréal.

Québec, Collection Jean Soucy

Anonyme
XVIIIe siècle

23. VIERGE À L'ENFANT

Bois polychrome. H. 1,79. Non signé. XVIIIe siècle.

N° D'INVENTAIRE: L-67. 15-S

PROVENANCE: Ancienne église de Saint-François-Xavier de Batiscan, Champlain; dépôt permanent au Musée du Québec par la Fabrique de la paroisse, 1966.

EXPOSITIONS: 1946, Détroit, n° 3; 1967, Québec, n° 21, repr.

Batiscan (Champlain), Fabrique de Saint-François-Xavier (Dépôt permanent au Musée du Québec)

Anonyme
XVIIIe siècle

24. SAINT JOSEPH

Bois polychrome. H. 1,778. Non signé. XVIIIe siècle.

N° D'INVENTAIRE: L-67. 14-S

PROVENANCE: Ancienne église de Saint-François-Xavier de Batiscan, Champlain; dépôt permanent au Musée du Québec par la Fabrique de la paroisse, 1966.

EXPOSITIONS: 1946, Détroit, n° 4; 1967, Québec, n° 22, repr.

BIBLIOGRAPHIE: Barbeau, 1957, repr.

Batiscan (Champlain), Fabrique de Saint-François-Xavier (Dépôt permanent au Musée du Québec)

Chaulette, Thomas et Yves

25. LE MAJOR GÉNÉRAL JAMES WOLFE
Westerham (Kent), 1727 — Québec, 1759

Bois polychrome. H. 1,55. Inscription sur la base: «M G./JAMES WOLFE.» Non signé. Vers 1779. Sculpture restaurée et repeinte en 1842 par le sculpteur Raphaël Giroux.

PROVENANCE: Cette statue était placée dans une niche au coin de la rue Saint-Jean et de la côte du Palais à Québec jusqu'en 1898; Literary and Historical Society of Quebec, Québec.

EXPOSITIONS: 1973-1974, Ottawa, n° 35, repr.; 1976, Greenwich, n° 2.

BIBLIOGRAPHIE: 1872, Le Moine, p. 36-37; 1882, Le Moine, p. 502-505; 1890, Beaudet, p. 65; 1893, Aubert de Gaspé, p. 89-109; 7 décembre 1898, The Chronicle; 1904, Casgrain, p. 213-222; 1970, Trudel, p. 34-37, repr.

Cette représentation du Major général James Wolfe a été exécutée d'après un dessin du capitaine Hervey Smyth (1734-1811), aide-de-camp de Wolfe et des esquisses du sergent James Thompson.

Québec, Literary and Historical Society of Quebec

Levasseur, François-Noël
Québec, 1703 — Québec, 1794

Levasseur, Jean-Baptiste-Antoine
Québec, 1717 — Québec, 1775

26. MAÎTRE-AUTEL

Bois doré et peint en blanc. Tabernacle: H. 2,545; L. 2,217. 1741.

N° D'INVENTAIRE: L-67. 8-S

PROVENANCE: Ancienne église de Saint-François-Xavier de Batiscan; dépôt permanent au Musée du Québec par la Fabrique de la paroisse, 1966.

EXPOSITIONS: 1967, Québec, n° 62, repr.

BIBLIOGRAPHIE: 8 janvier 1950, Morisset, p. 14.

Le tombeau d'autel a été sculpté par François Normand au début du XIXe siècle.

Batiscan (Champlain), Fabrique de Saint-François-Xavier (Dépôt permanent au Musée du Québec)

Levasseur, François-Noël
Québec, 1710 — Québec, 1794

Levasseur, Jean-Baptiste-Antoine
Québec, 1703 — Québec, 1794

27. SAINT FRANÇOIS-XAVIER

Bois doré. H. 0,332. Non signé. 1741. Restauré en 1967.

N° D'INVENTAIRE: L-67. 12-S

28. SAINT IGNACE DE LOYOLA

Bois doré. H. 0,335. Non signé. 1741. Restauré en 1967.

N° D'INVENTAIRE: L-67. 13-S

PROVENANCE: Ornent les niches du tabernacle de l'église de Saint-François-Xavier de Batiscan, Champlain; dépôt permanent au Musée du Québec par la Fabrique de la paroisse, 1966.

EXPOSITIONS: 1952, Québec, n° 167, pl. 20; 1959, Vancouver, n° 58; 1967, Québec, n° 63, repr.

BIBLIOGRAPHIE: 8 janvier 1950, Morisset, p. 15, repr.

Batiscan (Champlain), Fabrique de Saint-François-Xavier (Dépôt permanent au Musée du Québec)

Levasseur, François-Noël
Québec, 1703 — Québec, 1794

29. VIERGE À L'ENFANT

Bois doré. H. 1,822. Non signé. Vers 1775.

N° D'INVENTAIRE: A-58. 358-S

PROVENANCE: Ancienne église de Sainte-Anne-de-la-Pocatière, Kamouraska; M. Gérard Gelly, Montréal; Musée du Québec, 1958.

EXPOSITIONS: 1967, Québec, n° 56, repr.

BIBLIOGRAPHIE: 1948, Barbeau, p. 43.

Québec, Musée du Québec

Levasseur, François-Noël
Québec, 1703 — Québec, 1794

30. SAINT AMBROISE

Bois doré. H. 1,828. Non signé. Vers 1775.

N° D'INVENTAIRE: A-58. 359-S

PROVENANCE: Ancienne église de Sainte-Anne-de-la-Pocatière, Kamouraska; M. Gérard Gelly, Montréal; Musée du Québec, 1958.

EXPOSITIONS: 1967, Québec, n° 57, repr.

BIBLIOGRAPHIE: 1948, Barbeau, p. 43.

Québec, Musée du Québec

Levasseur, François-Noël
Québec, 1703 — Québec, 1794

31. SAINT PAUL

Bois doré. H. 0,34. Non signé. Vers 1775. Statue décapée et dorée en 1956.

N° D'INVENTAIRE: A-56. 97-S

PROVENANCE: Église de Saint-Pierre, Montmagny; coll. Paul Gouin; Musée du Québec, 1956.

EXPOSITIONS: 1958, Paris; 1959, Vancouver, n° 54; 1959, Québec; 1961, Beauport; 1967, Québec, n° 55, repr.; 1969, Guelph, n° 10.

BIBLIOGRAPHIE: 8 janvier 1950, Morisset, p. 14.

Québec, Musée du Québec

Levasseur, François-Noël
Québec, 1703 — Québec, 1794

32. SAINT PIERRE

Bois doré. H. 0,349. Non signé. Vers 1775. Statue décapée et dorée en 1956.

N° D'INVENTAIRE: A-56. 96-S

PROVENANCE: Église de Saint-Pierre, Montmagny; coll. Paul Gouin; Musée du Québec, 1956.

EXPOSITIONS: 1958, Paris; 1959, Vancouver, n° 54; 1959, Québec; 1961, Beauport; 1967, Québec, n° 54, repr.; 1969, Guelph, n° 9; 1976, Stratford, n° 34.

BIBLIOGRAPHIE: 8 janvier 1950, Morisset, p. 14.

Québec, Musée du Québec

Levasseur, François-Noël
Québec, 1703 — Québec, 1794

33. ANGES ADORATEURS (2)

Bois doré. H. 0,552; L. 0,50. H. 0,56; L. 0,42. Non signé. 1783.

PROVENANCE: Fabrique de Saint-Charles, Bellechasse.

EXPOSITIONS: 1952, Québec, n° 168, pl. 17; 1958, Paris; 1959, Vancouver, n° 57; 1962, Bordeaux, n° 71, repr. XXVII.

BIBLIOGRAPHIE: 1948, Barbeau, p. 45; 8 janvier 1950, Morisset, p. 15, repr.

DOCUMENT: «payé à Mr Levasseur pour quatre statues . . . 672.» Archives de la paroisse de Saint-Charles, Bellechasse, Livre de comptes, 1783.

Saint-Charles (Bellechasse), Fabrique de Saint-Charles

Levasseur, Pierre-Noël
Québec, 1690 — Québec, 1770

34. PÈRE ÉTERNEL

Haut relief, bois polychrome.
H. 1,321. Non signé. Vers 1768.

N° D'INVENTAIRE: A-55. 193-S

PROVENANCE: Fragment de l'ancien retable de l'église de Saint-Vallier, Bellechasse; coll. Paul Gouin; Musée du Québec, 1955.

EXPOSITIONS: 1946, Détroit, n° 20, plate VI; 1952, Québec, n° 166; 1967, Québec, n° 68, repr.

BIBLIOGRAPHIE: 1948, Barbeau, p. 41-42; 9 novembre 1952, Morisset, p. 37, repr.; 1957, Barbeau repr.; 1968, Lavallée, p. 74, 76; 1972, Trudel, p. 31, ill. 10.

Québec, Musée du Québec

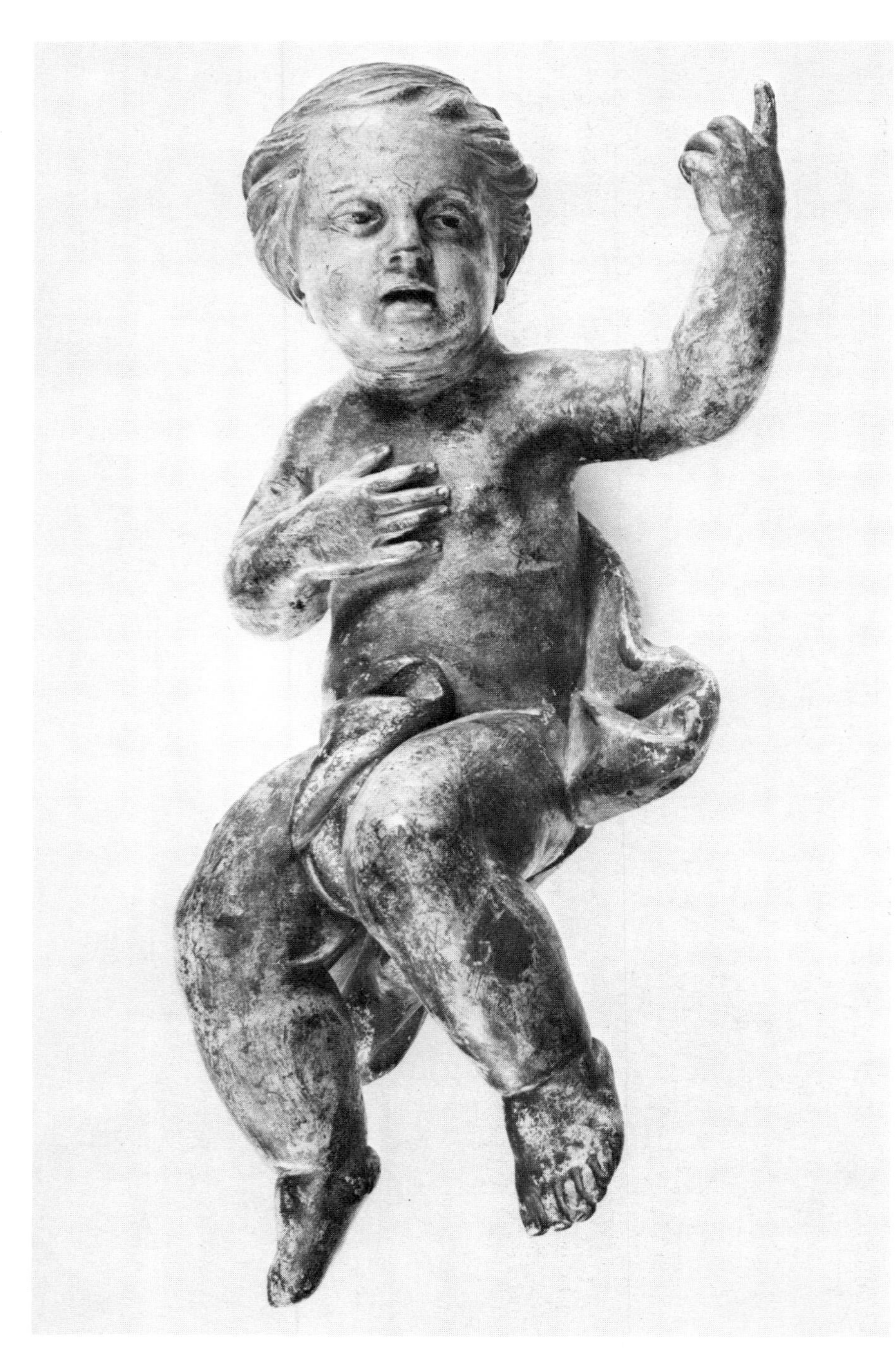

Levasseur, Pierre-Noël
Québec, 1690 — Québec, 1770

35. CHÉRUBIN

Bois polychrome. H. 0,49. Non signé. Vers 1768.

N° D'INVENTAIRE: A-50. 101-S

PROVENANCE: Fragment de l'ancien retable de l'église de Saint-Vallier, Bellechasse; M. Samuel Breitman, Montréal; Musée du Québec, 1950.

EXPOSITIONS: 1952, Québec, n° 165, pl. 15; 1958, Paris; 1959, Vancouver, n° 62; 1959, Québec; 1960-1961, Mexico; 1961, Beauport; 1962, Bordeaux, n° 72, repr. XXVI; 1967, Ottawa, n° 28, repr.

BIBLIOGRAPHIE: 1948, Barbeau, p. 41-42; 9 novembre 1952, Morisset, p. 37, repr.; février 1953, Morisset, p. 35, repr.; 1957, Barbeau, repr.

Québec, Musée du Québec

Liébert, Philippe
Nemours (France), 1732 ou 1734 — Montréal, 1804

36. SAINT MARTIN PARTAGEANT SON MANTEAU AVEC UN PAUVRE

Bas relief, bois polychrome. H. 2,748; L. 1,826. Non signé. Vers 1790.

N° D'INVENTAIRE: A-70. 63-S

PROVENANCE: Fabrique de Saint-Martin, Île Jésus; Musée du Québec, 1970.

BIBLIOGRAPHIE: 1941, Morisset, p. 33; novembre 1942, Morisset, p. 599-601; 1943, Morisset, p. 18, 19 et 20; 1968, Lavallée, p. 90; 1974, Trudel-Porter, p. 101-102, repr. (att. à François Guernon dit Belleville, vers 1740-1817).

Québec, Musée du Québec

Liébert, Philippe
Nemours (France), 1732 ou 1734 — Montréal, 1804

37. BON PASTEUR

Porte de tabernacle, bois décapé. H. 0,453; L. 0,222. Non signé. Vers 1790.

N° D'INVENTAIRE: A-55. 196-S.

PROVENANCE: Provient d'un tabernacle latéral de l'église de Saint-Martin, Île Jésus; coll. Paul Gouin; Musée du Québec, 1951.

EXPOSITIONS: 1952, Québec, n° 176; 1958, Paris; 1959, Vancouver, n° 67; 1959, Québec; 1961, Beauport; 1962, Bordeaux, n° 73; 1967, Québec, n° 70, repr.

BIBLIOGRAPHIE: 1941, Morisset, p. 33; 1943, Morisset, p. 18-19.

Québec, Musée du Québec

Liébert, Philippe
Nemours (France), 1732 ou 1734 — Montréal, 1804

38. ANGE À LA TROMPETTE

Bois décapé. H. 0,736. Non signé. Vers 1790. Statue réparée en 1958.

N° D'INVENTAIRE: A-38. 47-S.

PROVENANCE: Musée du Québec, avant 1938.

EXPOSITIONS: 1952, Québec, n° 173; 1958, Paris; 1967, Québec, n° 71, repr.

Québec, Musée du Québec

Liébert, Philippe
Nemours (France), 1732 ou 1734 — Montréal, 1804

39. LA DERNIÈRE CÈNE

Porte de tabernacle, bois décapé. H. 0,484; L. 0,338. Non signé. 1798. À l'origine, cette porte était dorée à la feuille; peinte en blanc après 1942 et décapée en 1954.

N° D'INVENTAIRE: A-53. 192-S

PROVENANCE: Provient du tabernacle de Sainte-Rose, Île Jésus; coll. Louis Carrier; Musée du Québec, 1953.

EXPOSITIONS: 1958, Paris; 1959, Vancouver, n° 65, repr.; 1959, Québec; 1960-1961, Mexico; 1961, Beauport; 1962, Bordeaux, n° 74, repr. XXIV.

BIBLIOGRAPHIE: 1957, Morisset, p. 26, repr.

Québec, Musée du Québec

ORFÈVRERIES

Amiot, Jean-Nicolas
Québec, 1750 — Québec, 1821

40. LAMPE DE SANCTUAIRE

Argent. H. 0,260. Poinçon: I.A. (2) sur le bord de l'ouverture et gravé au burin, le nom probable du donateur: «A MARCEAU». Vers 1790.

N° D'INVENTAIRE: A-76. 378-0

PROVENANCE: Fabrique de Saint-Vallier, Bellechasse; Musée du Québec, 1976.

EXPOSITIONS: 1952, Québec, n° 194, pl. 28; 1959, Vancouver, n° 233.

BIBLIOGRAPHIE: mars 1947, Morisset, p. 87.

Québec, Musée du Québec

Amiot, Jean-Nicolas
Québec, 1750 — Québec, 1821

41. PLATEAU

Argent. Ovale: 0,232 × 0,200. Poinçon: I.A. (1) sous le marli. Inscription gravée: «S + F». Vers 1790.

N° D'INVENTAIRE: A-75. 371. 0

PROVENANCE: Fabrique de l'Ancienne-Lorette, Québec; Musée du Québec, 1975.

Québec, Musée du Québec

Amiot, Laurent
Québec, 1764 — Québec, 1839

42. BÉNITIER

Argent. H. 0,21. Poinçon: L'A (4) sous la base. Vers 1790.

N° D'INVENTAIRE: A-69. 193-0

PROVENANCE: Fabrique de Sainte-Croix, Lotbinière; Musée du Québec, 1969.

Québec, Musée du Québec

Delezenne, Ignace-François
Lille (Nord), vers 1717 — Baie-du-Febvre, 1790

43. CALICE

Argent, coupe dorée. H. 0,254. Poinçon: une couronne fermée, IF, D (1) sous la base. Inscription: N.D. de Foye. Vers 1755.

N° D'INVENTAIRE: A-76. 33-0.

PROVENANCE: Fabrique de Notre-Dame-de-Foy (Sainte-Foy), Québec; Musée du Québec, 1976.

EXPOSITIONS: 1974, Ottawa, n° 80, repr.

Québec, Musée du Québec

Delezenne, Ignace-François
Lille (Nord), vers 1717 — Baie-du-Febvre, 1790

44. CIBOIRE

Argent. H. 0,28. Poinçon: une couronne, DZ (3) sur le rebord de la base et sur la croix du couvercle. Vers 1769.

N° D'INVENTAIRE: A-73. 28-0

PROVENANCE: Fabrique de Saint-Nicolas, Lévis; Musée du Québec, 1973.

EXPOSITIONS: 1952, Québec, n° 225; 1959, Vancouver, n° 276.

BIBLIOGRAPHIE: 1976, Derome, p. 56, repr.

Québec, Musée du Québec

Delezenne, Ignace-François
Lille (Nord), vers 1717 — Baie-du-Febvre, 1790

45. CALICE

Argent, coupe dorée. H. 0,273. Poinçon: une couronne, DZ (1) sur le rebord de la base.

N° D'INVENTAIRE: A-73. 32-0

PROVENANCE: Fabrique de Saint-Nicolas, Lévis; Musée du Québec, 1973

Québec, Musée du Québec

Delezenne, Ignace-François
Lille (Nord), vers 1717 — Baie-du Febvre, 1790

46. AIGUIÈRE
PLATEAU

Argent. H. aiguière: 0,137; ovale du plateau: 0,28 × 0,19. Poinçon: une couronne, DZ (2) sous la base de l'aiguière, (1) sous le plateau. Inscription gravée sur l'aiguière: «HD 1772».

N° D'INVENTAIRE: A-6a (aiguière); A-6b (plateau)

PROVENANCE: Monastère des Augustines de l'Hôtel-Dieu, Québec.

EXPOSITIONS: 1973, Québec, p. 53, repr.; 1974, Ottawa, n° 86 a, b, repr.

BIBLIOGRAPHIE: 1976, Derome, p. 56.

Québec, Monastère des Augustines de l'Hôtel-Dieu

Delezenne, Ignace-François
Lille (Nord), vers 1717 — Baie-du-Febvre, 1790

47. COUPE

Argent. H.0,44. Poinçon: une couronne, DZ (1) sous la base.

N° D'INVENTAIRE: A-60. 206-0

PROVENANCE: Famille Tarieu de Lanaudière; coll. Louis Carrier; Musée du Québec, 1959.

EXPOSITIONS: 1946, Détroit, n° 137, plate XVIII; 1951, Détroit, n° 111, repr.; 1952, Québec, n° 221, pl. 23; 1959, Vancouver, n° 279, repr.; 1962, Bordeaux, n° 84, repr. XXXVI; 1974, Ottawa, n° 74, repr.

BIBLIOGRAPHIE: 1941, Morisset, p. 95-97.

Cette coupe proviendrait de la famille Tarieu de Lanaudière, seigneurs de la Pérade. Une tradition raconte qu'elle aurait été faite pour Madeleine de Verchères, épouse de Pierre-Thomas de Lanaudière.

Québec, Musée du Québec

Picard, Louis-Alexandre
Paris, vers 1727 — Montréal, 1799

48. GOBELET

Argent. H. 0,057. Poinçon: A P (1) sur le fond. Vers 1765.

N° D'INVENTAIRE: A-53. 60-0

PROVENANCE: Coll. P.-S. Lefebvre, Québec; Musée du Québec, 1953.

EXPOSITIONS: 1958, Paris; 1959, Vancouver, n° 330.

BIBLIOGRAPHIE: 1974, Derome, p. 165, repr.

Québec, Musée du Québec

Ranvoyzé, François
Québec, 1739 — Québec, 1819

49. CALICE

Argent. H.0,267. Poinçon: F,R (2) sous la base, (1) sur le rebord de la base. 1773.

PROVENANCE: Fabrique de Saint-François (Île d'Orléans), Montmorency.

EXPOSITIONS: 1968, Québec, n° 19, repr.

BIBLIOGRAPHIE: 1935, Barbeau, p. 119; 1941, Morisset, p. 99; 1968, Trudel, p. 64.

DOCUMENT: «Le grand calice de la Ste Vierge, à fausse coupe godronnée, a été faite en août 1773 par le Sr Renvoizé sur le modèle du beau calice du chapitre ou de la basse ville, il pèse 193''12 qui avec 100'' de facon fait 293''12 qui ont été payé acavoir 190'' par feu gabriel bloin de St Jean 90'' par moy, le reste par quête. Ce calice et le missel neuf sont à la Ste Vierge. La Guerne». Archives de la paroisse de Saint-François (Île d'Orléans), Livre de comptes 1708-1796, note de l'abbé Le Guerne, datant probablement de 1789.

Saint-François (Île d'Orléans), Fabrique de Saint-François

Loir, Guillaume
maître à Paris en 1716

50. CALICE

Argent. H. 0,26. Poinçon: Poinçon de charge 1727-1732: A avec couronne sur côté. Poinçon de décharge 1727-1732: tortue couronnée. Lettre-date: 0 couronné (1730).

N° D'INVENTAIRE: A-68. 199-0

PROVENANCE: M. Rosaire Saint-Pierre, Beaumont; Musée du Québec, 1968.

BIBLIOGRAPHIE: 1968, Trudel, p. 64, repr.

Ce calice, d'origine française, a servi de modèle à François Ranvoyzé pour exécuter le calice précédent.

Québec, Musée du Québec

Ranvoyzé, François
Québec, 1739 — Québec, 1819

51. CALICE

Argent, coupe dorée. H. 0,26. Poinçon: F.R (4) sous la base. 1778.

N° D'INVENTAIRE: A-69. 196-0

PROVENANCE: Fabrique de Sainte-Croix, Lotbinière; Musée du Québec, 1968.

BIBLIOGRAPHIE: 1941, Morisset, p. 99; 1942, Morisset, p. 10, gr. 4; 12 mars 1942, Morisset p. 42; 18 mars 1942, Morisset.

DOCUMENT: «Pour un calice/et boete aux S^{tes} huiles 25.9.4.» Archives de la paroisse de Sainte-Croix, Lotbinière. Livre des comptes II (1778-1852), 1778.

Québec, Musée du Québec

Ranvoyzé, François
Québec, 1739 — Québec, 1819

52. CALICE

Argent. H. 0,25. Poinçon: F.R (2) sous la base avec l'inscription: «RANVOYZÉ 1778».

PROVENANCE: Monastère des Ursulines, Québec

EXPOSITIONS: 1968, Québec, n° 22, repr.; 1973, Québec, p. 106, repr.

BIBLIOGRAPHIE: 1935, Barbeau, p. 117; 1940, Traquair, pl. VI (a); 1957, Barbeau, repr.; 1968, Trudel, p. 64, repr.

DOCUMENT: «Païé a renvoisé orphêvre pour entier païmens dun Calice 10''16'». Archives du Monastère des Ursulines de Québec, Journal 2 (1747 à 1781), 1778, p. 327.

Québec, Monastère des Ursulines

Anonyme
France, XVIIe ou XVIIIe siècle

53. CALICE

Argent. H. 0,267. Poinçon effacé. Oeuvre française du XVIIe ou XVIIIe siècle.

PROVENANCE: Monastère des Ursulines, Québec.

BIBLIOGRAPHIE: 1957, Barbeau, repr.; 1968, Trudel, p. 64, repr.

Ce calice a servi de modèle à François Ranvoyzé pour exécuter le calice précédent.

Québec, Monastère des Ursulines

Ranvoyzé, François
Québec, 1739 — Québec, 1819

54. BURETTES

Argent. H. 0,153. Poinçon: F.R (1) sous le couvercle de chaque burette. 1775.
N° D'INVENTAIRE: A-76. 382-0 (2)

PROVENANCE: Fabrique de Saint-Vallier, Bellechasse; Musée du Québec, 1976.

EXPOSITIONS: 1952, Québec, n° 281; 1968, Québec, n° 17, repr.

DOCUMENT: «pour les burettes d'argent et l'assiette 138». Archives de la paroisse de Saint-Vallier, Bellechasse, Livre de comptes I, 1775.

Québec, Musée du Québec

Ranvoyzé, François
Québec, 1739 — Québec, 1819

55. CHANDELIERS (2)

Argent. H. 0,495. Poinçon: F.R (3) sous la base; F.R (2) sous la base. Inscription gravée sous la base: «+ D + L + B.» Vers 1780.

N° D'INVENTAIRE: A-12

PROVENANCE: Collège des Jésuites, Québec; legs du père Jean-Joseph Casot aux religieuses Augustines de l'Hôtel-Dieu de Québec, le 14 novembre 1796 et remis à la communauté par le lieutenant-gouverneur Herman Dupland, le 14 avril 1800.

EXPOSITIONS: 1973, Québec, p. 54.

Québec, Monastère des Augustines de l'Hôtel-Dieu

Ranvoyzé, François
Québec, 1739 — Québec, 1819

56. OSTENSOIR

Argent. H.0,448. Poinçon: F.R (4) sous la base. Vers 1780.

N° D'INVENTAIRE: A-61. 146-0

PROVENANCE: J. Arsène Belleville Ltée, Québec; Musée du Québec, 1967.

EXPOSITIONS: 1962, Bordeaux, n° 97; 1968, Québec, n° 81, repr.

Québec, Musée du Québec

Ranvoyzé, François
Québec, 1739 — Québec, 1819

57. LAMPE DE SANCTUAIRE

Argent. H. 0,362. Pas de poinçon. Vers 1780.

N° D'INVENTAIRE: A-75. 383-0

PROVENANCE: Fabrique de l'Ancienne-Lorette, Québec; Musée du Québec, 1975.

BIBLIOGRAPHIE: 1941, Morisset, p. 98; 1943, Morisset, p. 15.

Québec, Musée du Québec

Ranvoyzé, François
Québec, 1739 — Québec, 1819

58. BÉNITIER

Argent. H. 0,157. Pas de poinçon. Vers 1780.

N° D'INVENTAIRE: A-76. 380-0

PROVENANCE: Fabrique de Saint-Vallier, Bellechasse; Musée du Québec, 1976.

EXPOSITION: 1952, Québec, n° 280.

Québec, Musée du Québec

Ranvoyzé, François
Québec, 1739 — Québec, 1819

59. CIBOIRE

Argent. H. 0,215. Poinçon: F.R. (2) sous la base. Avant 1781.

N° D'INVENTAIRE: L-69. 21-0

PROVENANCE: Fabrique de St-Joseph de Deschambault, Portneuf; dépôt au Musée du Québec par la Fabrique de la paroisse, 1969.

EXPOSITIONS: 1968, Québec, n° 38, repr.

Deschambault (Portneuf), Fabrique de Saint-Joseph (Dépôt au Musée du Québec)

Ranvoyzé, François
Québec, 1739 — Québec, 1819

60. BÉNITIER ET GOUPILLON

Argent. H. 0,22. Poinçon: F.R. (7) sous la base. Avant 1781.

N° D'INVENTAIRE: L-69. 22-0

PROVENANCE: Fabrique de Saint-Joseph de Deschambault, Portneuf; dépôt au Musée du Québec par la Fabrique de la paroisse, 1969.

EXPOSITIONS: 1968, Québec, n° 6, rep.

Deschambault (Portneuf), Fabrique de Saint-Joseph (Dépôt au Musée du Québec)

Ranvoyzé, François
Québec, 1739 — Québec, 1819

61. CALICE

Argent, coupe dorée. H. 0,245. Poinçon: F.R. (2) sur le rebord de la base avec l'inscription: «T + A».

N° D'INVENTAIRE: A-69. 85-0

PROVENANCE: Fabrique de Saint-Victor, Beauce; Musée du Québec, 1969.

Québec, Musée du Québec

Ranvoyzé, François
Québec, 1739 — Québec, 1819

62. CIBOIRE

Argent. H. 0,25. Poinçon: F.R. (1) sur le rebord de la base.

N° D'INVENTAIRE: A-67. 54-0

PROVENANCE: M. Rosaire Saint-Pierre, Beaumont; Musée du Québec, 1967.

EXPOSITIONS: 1968, Québec, n° 33, repr.

Québec, Musée du Québec

Ranvoyzé, François
Québec, 1739 — Québec, 1819

63. PLATEAU

Argent. Ovale: 0,391 × 0,527. Poinçon: F.R. (2) sous le plateau; F.R. (1) à l'intérieur. Monogramme du Séminaire de Québec gravé au-dessus de la crédence. 1784.

N° D'INVENTAIRE: n° 151

PROVENANCE: Façonné en 1784 pour Mgr Jean-Olivier Briand; Archevêché de Québec.

CATALOGUE: 1973, Québec, n° 151.

EXPOSITIONS: 1946, Détroit, n° 141, plate XVI; 1952, Québec, n° 297; 1958, Paris; 1959, Vancouver, n° 348, repr.; 1967, Ottawa, n° 30, repr.; 1968, Québec, n° 98, repr.; 1974, Québec, n° 74, repr.

BIBLIOGRAPHIE: 1935, Barbeau, p. 119; 1940, Traquair, p. 10, pl. VIII; 1941, Morisset, p. 98; 1942, Morisset, gr. 8; mars 1947, Morisset, p. 85; mai 1947, Morisset, p. 3, repr.; 1966, Langdon, plate 27.

Québec, Archevêché de Québec

Ranvoyzé, François
Québec, 1739 — Québec, 1819

64. PISCINE

Argent. H. 0,049. Poinçon: F.R. (2) sous la base. Vers 1784.

N° D'INVENTAIRE: A-76. 379-0

PROVENANCE: Fabrique de Saint-Vallier, Bellechasse; Musée du Québec, 1976.

EXPOSITIONS: 1952, Québec, n° 296; 1959, Vancouver, n° 347, repr.; 1968, Québec, n° 90, repr.

Québec, Musée du Québec

Ranvoyzé, François
Québec, 1739 — Québec, 1819

65. CIBOIRE

Argent. H. 0,268. Poinçon: F.R. (2) sous la base. 1798.

N° D'INVENTAIRE: L-70. 2-0

PROVENANCE: Fabrique de Rivière-Ouelle, Kamouraska; dépôt au Musée du Québec par la Fabrique de la paroisse, 1970.

EXPOSITIONS: Québec, 1968, n° 37, repr.

BIBLIOGRAPHIE: 1935, Barbeau, p. 120.

Rivière-Ouelle (Kamouraska), Fabrique de Rivière-Ouelle (Dépôt au Musée du Québec)

Ranvoyzé, François
Québec, 1739 — Québec, 1819

66. CROIX DE PROCESSION

Argent doré. H. 0,618; L. 0,314. Poinçon: F.R. (1) sur la base. Fin XVIIIe siècle.

N° D'INVENTAIRE: A-75. 375-0

PROVENANCE: Fabrique de l'Ancienne-Lorette, Québec; Musée du Québec, 1975.

EXPOSITIONS: 1968, Québec, n° 47, repr.

Québec, Musée du Québec

Ranvoyzé, François
Québec, 1739 — Québec, 1819

67. AIGUIÈRE BAPTISMALE

Argent. H. 0,076. Poinçon: F.R. (2) sous la base.

N° D'INVENTAIRE: A-69. 268-0

PROVENANCE: M. Rosaire Saint-Pierre, Beaumont; Musée du Québec, 1969.

Québec, Musée du Québec

Ranvoyzé, François
Québec, 1739 — Québec, 1819

68. CIBOIRE

Or. Façonné avec des louis d'or américains. H. 0,245. Poinçon: F.R. (3) sous la base et la date gravée: «1810». Inscription gravée à l'intérieur de la fausse-coupe: «F. RANVOYZÉ. 1810».

N° D'INVENTAIRE: L-74. 26-0

PROVENANCE: Abbé Jacques Panet (Québec, 1778 — Québec, 1834), curé de la paroisse de L'Islet; legs à la Fabrique de L'Islet, 1834; dépôt au Musée du Québec par la Fabrique de la paroisse, 1970.

EXPOSITIONS: 1968, Québec, n° 40, repr.

BIBLIOGRAPHIE: 1935, Barbeau, p. 115-116; 1937, Barbeau, p. 67; 1939, Barbeau, p. 915-917; 1940, Traquair, p. 23-24; 1942, Morisset, p. 17; 18 août 1946, Barbeau, p. 7; 12 mars 1950, Morisset, p. 18, 42, repr.; 1968, Bélanger, p. 41, repr.

L'Islet, Fabrique de L'Islet (Dépôt au Musée du Québec)

"...le susdit Calice d'or Sa patene comprise pese cent Sept Louis et deux chelins douze Copres. Ce Calice pese à lui seul 91 Louis 14 chelins et 4 copres; par conséquent La patene pese quinze Louis 8 chelins et 8 copres. Le tout m'a couté deux cents douze Louis deux chelins et demi. partant la façon du dit Calice et de sa patene me couteroit cent cinq Louis si les déchet sur la fonte de L'or étoit à mon Compte; mais comme ce déchet qui est de cinq Louis est au Compte de Monsieur françois Ranvoyzé la façon du dit Calice avec Sa patene me coute cent Louis, prix exorbitant dont j'ai fais de grands reproches au dit Monsieur francois Ranvoyzé qui m'a répondu que n'ayant encore jamais travaillé en or il lui avait fallu des préparatifs bien couteux pour faire ce Calice d'or, mais que dorénavant il me feroit à moitié prix tous les ouvrages en or que je lui ferois faire dans la suite, c'est-à-dire qu'il me prendroit pour prix d'un ouvrage en or que La moitiée du poids de tel ouvrage et il a commencé a tenir/ Sa promesse en exigeant que quarante neuf Louis et Sept chelins et demi pour le prix de la façon de mon Ciboire d'or qui pese quatre Vingt dix huit Louis et quinze chelins au poids de M^r^. fran. Ranvoyzé orfevre à Québec qui a fait les Susdits Calice et ciboire d'or.

12° Le Ciboire d'or cy dessus mentionné qui me coute cent quarante huit Louis et deux chelins douze copres. J'en fais aussi présent à L'être Suprême

Ranvoyzé, François
Québec, 1739 — Québec, 1819

69. CALICE ET PATÈNE

Or. Façonné avec des louis d'or américains. H. 0,24. Poinçon: F.R. (4) sous la base avec l'inscription gravée: «1810» Patène: F.R. (3).

N° D'INVENTAIRE: L-74. 27-0 (2)

PROVENANCE: Abbé Jacques Panet (Québec, 1778 — Québec, 1834), curé de la paroisse de L'Islet; legs à la Fabrique de L'Islet, 1834; dépôt au Musée du Québec par la Fabrique de la paroisse, 1970.

EXPOSITIONS: 1952, Québec, n° 284, pl. 25; 1958, Paris; 1959, Vancouver, n° 339, repr. 75; 1959, Québec; 1962, Bordeaux, n° 99, repr. XXXIV; 1968, Québec, n° 29, repr.

BIBLIOGRAPHIE: 1935, Barbeau, p. 115-116; 1939, Barbeau, p. 915-917, 920; 1940, Traquair, p. 23-24, pl. IX (b); 1941, Morisset, p. 98-99; 18 mars 1942, Morisset; 1942, Morisset, p. 10, 17; 18 août 1946, Barbeau, p. 7; mai 1947, Morisset, p. 4, repr.; 12 mars 1950, Morisset, p. 18, 42, repr.; février 1953, Morisset, p. 37, repr.; avril 1955, Morisset, p. 227-231; 1968, Trudel, p. 65, repr.; 1968, Bélanger, p. 40, repr.

L'Islet, Fabrique de L'Islet (Dépôt au Musée du Québec)

Ranvoyzé, François
Québec, 1739 — Québec, 1819

70. OSTENSOIR

Or. Façonné avec les louis d'or américains. H. 0,39. Poinçon: F.R. (6) sur la croix et sous la base avec l'inscription gravée: «RANVOYZÉ 1812».

N° D'INVENTAIRE: L-74. 19-0

PROVENANCE: Abbé Jacques Panet (Québec, 1778 — Québec, 1834), curé de la paroisse de L'Islet; legs à la Fabrique de L'Islet, 1834; dépôt au Musée du Québec par la Fabrique de la paroisse, 1970.

EXPOSITIONS: 1952, Québec, n° 295; 1968, Québec, n° 88, repr.

BIBLIOGRAPHIE: 1935, Barbeau, p. 115-116; 1939, Barbeau, p. 915-917; 1940, Traquair, p. 23-24, pl. IX (a); 1942, Morisset, p. 17; 18 mars 1942, Morisset, p. ; 18 août 1946, Barbeau, p. 7; mars 1947, Morisset, p. 5, repr.; 12 mars 1950, Morisset, p. 18, 42, repr.; 1968, Bélanger, p. 39, repr.

L'Islet, Fabrique de L'Islet (Dépôt au Musée du Québec)

mon Créateur en le laissant au premier Marguillier en Charge de la Susdite paroisse de Lislette notre Dame de bon Secours, si toutefois je n'en dispose autrement, étant vivant, si toutefois je meurs Curé de la dite Paroisse comme j'ai déjà dis cy contre ou si je n'en dispose pas autrement durant ma vie &.

13° Un ostensoir d'or qui Sera entièrement fini dans quelques jours. Je viens de recevoir une Lettre de Monsieur François Ranvoyzé orfevre qui me fait Savoir, que le Susdit ostensoir d'or pèse cent onze Louis et Seize chelins et la façon me coutant la moitié du poid Se monte à cinquante cinq Louis et Seize chelins portant à mon compte mon susdit ostensoir Sa façon comprise me coute cent soixante Sept Louis et huit chelins. J'en fais présent à l'être Suprême mon Créateur en le laissant après ma mort ainsi que mon Calice d'or et mon Ciboire d'or à L'oeuvre et fabrique de la paroisse de L'islette notre Dame de bon secours, si toutefois je meurs Curé de la dite Paroisse et que mon Corps soit inhumé au dépends de la dite fabrique dans la dite Eglise conformément a mon testament holographe étant toujours Maître de vendre ces trois vases d'or et les deux ornements complets que j'ai fait faire à même mon argent et dont je ferai mention par la suite(. . .)"

Archives de la paroisse de l'Islet. Manuscrit de l'Abbé Jacques Panet, 105e et 106e feuillets.

(Catalogue N° 22)

(Catalogue N° 29)

(Catalogue N° 34)

(Catalogue N° 36)

(Catalogue N° 68)

BIBLIOGRAPHIE

I. CATALOGUES

1852 *Catalogue of the Quebec Gallery of Paintings, engravings, etc., the property of Jos. Légaré, St. Angele Street, Corner of St. Helen Street,* Québec, E.R. Fréchette, Printer and Stationer.

1908 Carter, J.P., *Descriptive and Historical Catalogue of the Paintings In the Gallery of Laval University,* Quebec, l'Événement Printing Co.

1913 *Musée de peinture,* dans *Université Laval,* Québec.

1933 *Musée de peinture,* dans *Université Laval,* Québec.

1973 Gagné, abbé A., *Trésor sacré et profane de l'archevêché de Québec. Catalogue sélectif et sommaire,* Québec, Archives de l'Archidiocèse de Québec. Catalogue non publié.

II. EXPOSITIONS

1946 Détroit, The Detroit Institute of Arts, *The Arts of French Canada, 1613-1870.*

1951 Détroit, The Detroit Institute of Arts, *The French in America, 1520-1880.* Catalogue par E.P. Richarson.

1952 Québec, Musée de la Province de Québec, *Exposition rétrospective de l'art au Canada français.* Catalogue par Gérard Morisset.

1958 Paris, Grands Magasins du Louvre, *Exposition de la Province de Québec.* Pas de catalogue publié.

1959 Vancouver, Vancouver Art Gallery, *Les arts au Canada français.* Catalogue par Gérard Morisset.

1959 Ottawa, La Galerie nationale du Canada et Québec, Musée de la Province de Québec, *Portraits canadiens du 18e et 19e siècles.* Catalogue par Claude Picher.

1959 Québec, Parlement, *Art religieux.* Pas de catalogue publié.

1960-1961 Mexico, Musée national de Arte moderno, *Arte canadiense.* Exposition organisée par la Galerie nationale du Canada.

1961 Beauport, Académie Sainte-Marie, *Exposition d'art religieux.* Pas de catalogue publié.

1962 Bordeaux, Musée des beaux arts de Bordeaux, *L'Art au Canada.* Catalogue par Gilberte Martin-Méry.

1965 Ottawa, La Galerie nationale du Canada et Québec, Musée du Québec, *Trésors de Québec.*

1966 Toronto, *Semaine française.*

1967 Ottawa, La Galerie nationale du Canada, *Trois cents ans d'art canadien.* Catalogue par R.H. Hubbard et Jean-René Ostiguy.

1967 Ottawa, La Galerie nationale du Canada, *Pages d'histoire du Canada.* Catalogue par R. Strong.

1967 Québec, Musée du Québec, *Peinture traditionnelle du Québec.* Catalogue par Jean Trudel.

1967 Québec, Musée du Québec. *Sculpture traditionnelle du Québec.* Catalogue par Jean Trudel.

1968 Québec, Musée du Québec, *François Ranvoyzé Orfèvre/1739-1819.* Catalogue par Jean Trudel.

1969 Québec, Musée du Québec, *Profil de la sculpture québécoise, XVIIe-XIXe siècle.* Catalogue par Jean Trudel.

1969 Guelph, Université Guelph, *L'Art religieux au Québec.* Catalogue préparé par le Musée du Québec.

1972 Sherbrooke, *Quinzaine québécoise.*

1973 Québec, Musée du Québec, *Trésors des communautés religieuses de la ville de Québec.* Catalogue par Claude Thibault.

1973 Kingston, Agnes Etherington Art Centre, *Heritage Kingston.* Catalogue par J. Douglas et Ian E. Wilson.

1973-1974 Ottawa, La Galerie nationale du Canada, *L'Art populaire: L'art naïf au Canada*. Catalogue par J.R. Harper.

1974 Québec, Musée du Québec, *Le Diocèse de Québec, 1674-1974*. Catalogue par Claude Thibault.

1974 Ottawa, La Galerie nationale du Canada, *L'orfèvrerie en Nouvelle-France*. Catalogue par Jean Trudel.

1974 Montréal (Terre des Hommes), Pavillon du Québec, *Les Arts du Québec*. Catalogue par le ministère des Affaires culturelles du Québec.

1975 Québec, Musée du Québec, *François Baillairgé et son oeuvre (1759-1830)*. Catalogue par Claude Thibault, Luc Noppen et David Karel.

1975 Sherbrooke, Centre culturel de l'Université de Sherbrooke, *Portraits anciens du Québec*.

1975 Sherbrooke, Centre culturel de l'Université de Sherbrooke, *Orfèvrerie traditionnelle du Québec*.

1976 Greenwich (Londres), National Maritime Museum. *1776. The British Story of the American Revolution*.

III. LIVRES ET ARTICLES

1872 Le Moine, J.M., *L'Album du Touriste,* Québec, Imprimé par Augustin Côté et Cie.

1878 Trudelle, C., *Trois Souvenirs,* Québec, Imprimerie de Léger Rousseau.

1882 Le Moine, J.M., *Picturesque Québec,* Montréal, Dawson Brothers.

1890 Beaudet, abbé L., *Québec, ses monuments anciens et modernes ou Vade mecum des citoyens et des touristes.* Publié en 1973 par la Société historique de Québec, cahiers d'histoire n° 25.

1893 Tanguay, Mgr C., *Répertoire général du clergé canadien par ordre chronologique depuis la fondation de la colonie jusqu'à nos jours,* Montréal, Eusèbe Sénécal & Fils, imprimeurs-éditeurs.

1893 Aubert de Gaspé, P., *La Statue du général Wolfe,* in *Divers,* Montréal, Beauchemin.

1898 *Wolfe is heard from,* dans *The Chronicle,* Québec, 7 décembre.

1904 Casgrain, P.B., *The Monument to Wolfe on the Plains of Abraham and the Old statue at "Wolfe's Corner"* in *Proceedings and Transactions of the Royal Society of Canada,* Londres, section II.

1911 Têtu, Mgr H., *Souvenirs d'un voyage en Bretagne,* dans *Bulletin des recherches historiques,* vol. XVIII.

1914 Roy, P.-G., *Biographies canadiennes,* dans *Bulletin des recherches historiques,* vol. XX.

1934 Morisset, G., *Un curé-peintre, l'abbé Aide-Créqui,* dans *l'Événement,* Québec, jeudi le 20 décembre.

1935 Morisset, G., *Deux artistes Récollets au XVIII*e *siècle,* dans *Le Droit,* Ottawa, mardi, le 12 mars.

1935 Barbeau, M., *Anciens orfèvres de Québec,* dans *Mémoires de la Société royale du Canada,* Section I, t. XXIX.

1936 Morisset, G., *Peintres et tableaux,* t. 1, Québec, Les Éditions du chevalet.

1937 Morisset, G., *Peintres et tableaux,* t. 2, Québec, Les Éditions du chevalet.

1937 Morisset, G., *Québec où survit l'ancienne France,* Québec, La Librairie Garneau.

1939 Barbeau, M., *Deux cents ans d'orfèvrerie chez nous,* dans *Mémoires de la Société royale du Canada,* 3e série, section I, t. XXXIII.

1939 Barbeau, M., *Nos anciens orfèvres,* dans *Le Canada français,* juin, vol. XXVI, n° 10.

1940 Traquair, R., *The Old Silver of Quebec,* Toronto, Macmillan of Canada.

1941 Morisset, G., *Coup d'oeil sur les arts en Nouvelle-France,* Québec.

1941 Barbeau, M., *Old Canadian Silver,* dans *Canadian Geographical Journal,* n° 1, mars, t. XXII.

1942 Barbeau, M., *Maîtres artisans de chez-nous,* Montréal, les Éditions du zodiaque.

1942 Morisset, G., *François Ranvoyzé,* Québec collection Champlain.

1942 Morisset, G., *L'oeuvre capricieuse de François Ranvoyzé,* dans *L'Action catholique,* mercredi le 18 mars.

1942 Morisset, G., *Saint-Martin (Ile Jésus) après le sinistre du 19 Du mai,* dans *Technique,* novembre.

1943 Morisset, G., *Évolution d'une pièce d'argenterie,* Québec, collection Champlain.

1943 Morisset, G., *Philippe Liébert,* Québec, collection Champlain.

1946 Barbeau, M., *Le curé Panet et son orfèvre,* dans *l'Événement-Journal,* 18 août.

1947 Morisset, G., *L'orfèvrerie canadienne,* dans *Technique,* mars.

1947 Morisset, G., *Un quart d'heure chez Ranvoyzé,* dans *La Petite Revue,* mai.

1948 Barbeau, M., *Les Le Vasseur, maître menuisiers, sculpteurs et statuaires (Québec, circa 1648-1818),* dans *Les Archives de Folklore,* Montréal, Fides, n° 3.

1950 Morisset, G., *Une dynastie d'artisans: Les Levasseur,* dans *La Patrie,* dimanche, le 8 janvier.

1950 Morisset, G., *Québec en 1793,* dans *La Patrie,* dimanche, le 5 mars.

1950 Morisset, G., *Les vases d'or de l'église de L'Islet,* dans *La Patrie,* dimanche, le 12 mars.

1950 Morisset, G., *Le peintre François Beaucourt,* dans *La Patrie,* dimanche, le 19 mars.

1952 Morisset, G., *Pierre-Noël Levasseur (1690-1770),* dans *La Patrie,* dimanche, le 9 novembre.

1953 Morisset, G., *Trésors d'Art de la Province de Québec,* dans *La Revue française* n° 43, février.

1957 Barbeau, M., *J'ai vu Québec,* Québec, La Librairie Garneau Ltée.

1957 Barbeau, M., *Trésor des anciens Jésuites,* dans *Bulletin du Musée national du Canada,* n° 153, "Série anthropologique, n° 43".

1957 Morisset, G., *L'Art français au Canada,* dans *Médecine de France,* n° 85.

1960 Morisset, G., *La peinture traditionnelle au Canada français,* Ottawa, Le Cercle du Livre de France.

1960 Langdon, J.E., *Canadian Silversmiths Their Marks 1667-1867,* Lunenburg (Vermont), publié à compte d'auteur.

1962 Harper, J.R., *Three Centuries of Canadia Painting,* dans *Canadian Art,* n° 82, november/december.

1963 Hubbard, R.H., *L'évolution de l'art au Canada,* Ottawa, Imprimeur de la Reine, La Galerie nationale du Canada.

1966 Langdon, J.E., *Canadian Silversmiths 1700-1900,* Toronto, The Stinehour Press.

1968 Trudel, J., *Un maître orfèvre de Québec, François Ranvoyzé (1739-1819),* dans *Vie des Arts,* n° 51.

1968 Bélanger, L., *L'Église de L'Islet, 1768-1968,* L'Islet, Le Conseil de la Fabrique de L'Islet.

1968 Lavallée, G., *Anciens ornementistes et imagiers du Canada français,* Québec, Ministère des Affaires culturelles, collection Art, Vie et Sciences au Canada français.

1969 Harper, J.R., *La Peinture au Canada des origines à nos jours,* Québec, Les Presses de l'Université Laval.

1970 Harper, J.R., *Early Painters and engravers in Canada,* Toronto, University of Toronto Press.

1970 Trudel, J., *À propos de Wolfe,* dans *Vie des Arts,* n° 59.

1972 Trudel, J., *Un chef-d'oeuvre de l'art ancien du Québec. La chapelle des Ursulines,* Québec, Les Presses de l'Université Laval.

1973 Reid, D., *A concise History of Canadian Painting,* Toronto, Oxford University Press.

1974 Derome, R., *Les orfèvres de Nouvelle-France. Inventaire descriptif des sources,* Ottawa, Galerie nationale du Canada.

1974 Trudel, J., et Porter, J.R., *Le Calvaire d'Oka,* Ottawa, La Galerie nationale du Canada.

1974 Lord, B., *The History of Painting in Canada Toward a people's art,* Toronto, NC Press.

1976 Godsell, P., *Enjoying Canadian Painting,* Don Mills (Ont.), General Publishing Co. Limited.

1976 Derome, R., *Delezenne, le maître de Ranvoyzé,* dans *Vie des Arts,* vol. XXI, n° 83.

La vie culturelle au Québec (1760-1790)

Claude Galarneau

La vie culturelle au Québec
(1760-1790)

L'art ne saurait être séparé de la société qui le crée et dont il est une expression privilégiée. Si on doit le relier à l'ensemble social, il y a cependant un aspect qui peut être davantage souligné, c'est celui de la vie culturelle du moment où se situe le phénomène artistique étudié. L'objet de cette exposition étant justement de présenter l'art au Québec de 1760 à 1790, on se trouve à l'intérieur d'une période qui coïncide exactement avec une génération, c'est-à-dire d'un groupe qui a vécu, grandi et agi durant les mêmes années, groupe qui a encore été déterminé par une même série d'événements importants, soit la guerre de Sept Ans et la Conquête. Quant à la notion de culture, nous tenant à mi-chemin du concept total des anthropologues et du concept résiduel d'autrefois, qui se bornait à la littérature, notre propos s'arrêtera à l'activité des hommes en dehors du gagne-pain quotidien, à tout ce qui concerne l'éducation, le livre, la sociabilité ainsi que la récréation. Ce système comprend encore la culture savante et la culture populaire, la culture urbaine comme la culture rurale.

La culture traditionnelle à la campagne a retrouvé assez vite ses manifestations coutumières après la guerre de Sept Ans. On se remet au travail des champs et aux occupations des métiers, puisque les besoins de la population, qui a doublé en trente ans, sont pressants. Le cycle de la vie chrétienne et celui des saisons reprennent leur rythme normal, l'un portant l'autre depuis des centaines d'années, l'hiver canadien donnant un surplus de bon temps pour veiller, pour chanter, pour danser et pour raconter. C'est la grande période de la culture populaire, artisane et orale qui commence et qui culminera vers 1840 au Québec. La tradition orale a pu d'autant mieux se développer durant cette génération que la culture savante, qui se développe à la campagne par la religion et l'instruction, n'a connu que très peu de prêtres et d'écoles, le clergé ne comptant que moins de 150 membres pour 150,000 âmes en 1790 et le système des petites écoles subventionnées par le roi ayant disparu avec le Régime français. Les biens que la culture savante peut fournir encore au peuple des campagnes viennent surtout des églises, qui sont à la

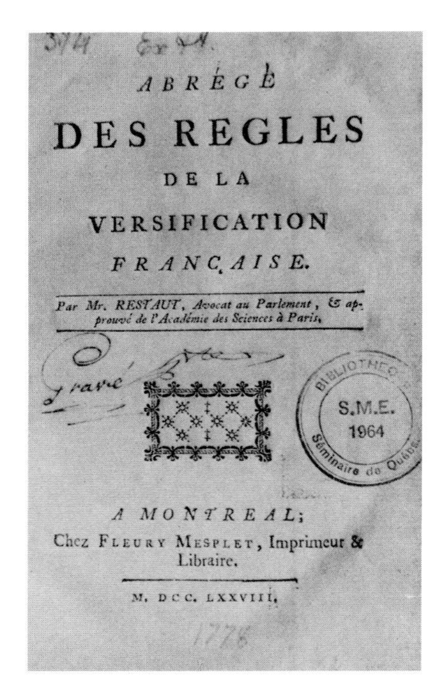
ABRÉGÉ
DES REGLES
DE LA
VERSIFICATION
FRANÇAISE.

Par Mr. RESTAUT, Avocat au Parlement, & approuvé de l'Académie des Sciences à Paris.

A MONTREAL;
Chez FLEURY MESPLET, Imprimeur & Libraire.

M. DCC. LXXVIII.

1.
Manuel utilisé au Séminaire de Québec vers 1780. Exemplaire de Henri-François Gravé de la Rive, prêtre du Séminaire. Bibliothèque du Séminaire de Québec. (Photo Musée du Québec)

Rhetorica.
in
Seminario Quebecensi
Data anno 1770
auctore D. D. Leguerne.
Professore D. D. Boiret

2.
Cahier de rhétorique, fait au Séminaire de Québec par l'abbé Urbain Boiret en 1770-1771. L'abbé François Leguerne avait déjà enseigné la rhétorique entre 1751 et 1756 et en 1768-1769. C'est le cahier de Leguerne, utilisé par Boiret, qu'on retrouve aussi au Collège de Montréal. Archives nationales du Québec, AP G143. (Photo Musée du Québec)

fois belle architecture et lieu qui accueille la sculpture, la peinture et l'orfèvrerie. Or, les rives du Saint-Laurent se sont enrichies d'une vingtaine de nouvelles églises, sans compter la reconstruction ou la restauration de certaines autres.

En ville, les conjonctures militaire et politique ont laissé des séquelles peut-être plus importantes et en tous cas plus visibles. Et d'abord parmi les hommes, dont on estime qu'il en est parti environ deux mille, nobles, marchands et négociants, officiers, ingénieurs, fonctionnaires et religieux, non pas tous producteurs, mais certes consommateurs des fruits de la culture savante. Puis, il faut reconstruire la ville de Québec, qui a subi le siège de l'été 1759, ses bombardements et ses incendies. On doit s'habituer encore à vivre avec le nouveau peuple souverain, l'anglais, qu'on n'a jamais connu que comme adversaire sur le champ de bataille et comme mal sentant de la foi sur le plan religieux. Cela indique qu'il faut attendre quelques années, le temps de la mise en place et des ajustements à une réalité nouvelle, le tout encore retardé par la guerre de l'Indépendance américaine, pour que la vie culturelle urbaine n'accuse une activité plus intense. Et il y a fallu le temps d'une génération pour que ces phénomènes reprennent un mouvement ascendant, pour que la consommation commande à la production ailleurs que dans les domaines de première nécessité. La vie politique elle-même connaîtra un nouveau départ après 1790 avec l'apparition du régime parlementaire. Ce qui ne veut pas dire que les habitants de Montréal et de Québec auraient ignoré toute vie socio-culturelle et se seraient contentés de gagner leur pain quotidien en attendant des jours meilleurs. Québec retrouve peu à peu son caractère de sociabilité urbaine, étant donné son rôle de capitale administrative, de centre religieux avec l'évêché, le grand et le petit séminaire, les Ursulines, les institutions hospitalières ainsi que les Jésuites et les Récollets, qui sont encore là au cours de cette période. Lieu de la justice avec son petit monde de juges, d'avocats et d'auxiliaires, c'est aussi un centre économique important avec le premier port du Saint-Laurent et une garnison nombreuse. On peut en dire autant de Montréal, qui possède en

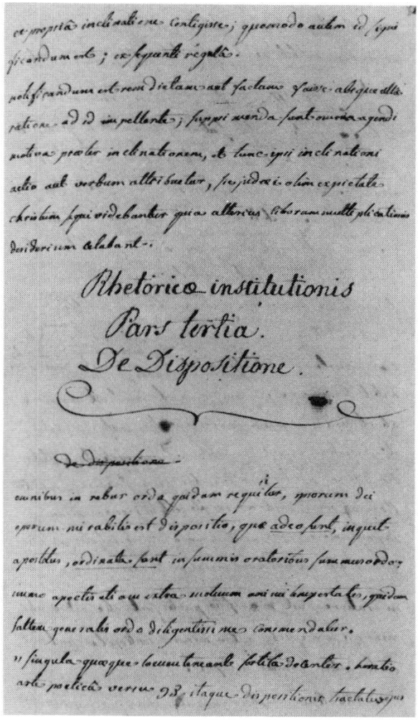

Rhetorica institutionis
Pars tertia.
De Dispositione.

3.
Page du cahier de rhétorique de Leguerne-Boiret. Les traités de rhétorique mis au point par les Jésuites au XVIIe siècle comprennent de trois à cinq parties et sont rédigés en latin. Celui de Leguerne en a cinq: De la définition, de l'invention, de la disposition, de l'élocution, de la mémoire et de la prononciation oratoire. Archives nationales du Québec, AP G143. (Photo Musée du Québec)

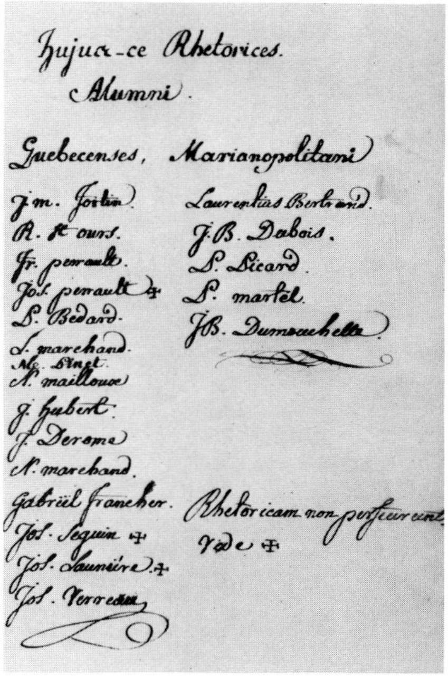

Jujuca-ce Rhetorices.
Alumni.
Quebecenses, Marianopolitani
J. m. Fortin. Laurentius Bertrand.
J.B. Dubois.
Fr. perrault. L. Picard.
Jos. perrault ✝ L. martel.
L. Bédard. J.B. Dumouchelle.
J. marchand.
N. maillou
J. hubert.
J. Derome
N. marchand.
Gabriel Francher. Rhetoricam non perfecerunt.
Jos. Seguin ✝
Jos. Saunière ✝
Jos. Verreau

4.
Liste des élèves de Rhétorique en 1770-1771. C'était la coutume, pour chaque écolier, d'inscrire dans son cahier le nom des élèves qui avaient suivi le même cours. Au Séminaire de Québec, jusque vers 1790, les élèves distinguaient dans leurs listes ceux qui avaient commencé leurs études au Séminaire de ceux qui arrivaient de Montréal pour terminer leur cours. Archives nationales du Québec, AP G143 (Photo Musée du Québec)

moins l'évêché et la haute administration. N'oublions pas non plus les quelques milliers d'Anglais qui s'installent en ville, marchands, officiers, fonctionnaires et gens de profession libérale.

Dans le domaine de l'éducation, Québec a perdu en 1760 l'École d'hydrographie et le Collège des Jésuites. Mais elle a toujours le grand séminaire et le petit séminaire. Ce dernier, qui n'avait été qu'un pensionnat sous le Régime français, assure l'enseignement classique pour remplacer celui des Jésuites. Montréal possède dès 1767 son collège, grâce aux Sulpiciens. Les communautés enseignantes de femmes des deux villes continuent leur oeuvre d'éducation, les Ursulines à Québec et à Trois-Rivières, les Hospitalières de l'Hôpital général à Québec, les Dames de la Congrégation et les Soeurs Grises à Montréal et dans plusieurs paroisses de la campagne. Il n'y a pas de système d'éducation, pas de loi encore qui crée des écoles élémentaires subventionnées par l'administration publique. Outre les communautés déjà citées, plusieurs curés de paroisses entretiennent des petites écoles et des laïques, dans les villes surtout, créent leurs propres écoles, sans qu'on en sache encore le nombre et la qualité, sauf pour la ville de Québec, où on en dénombre un peu plus de quarante. Écoles où l'on enseigne à lire, à écrire et à compter, où l'on fait en plus des cours de tenue de livre, de navigation, d'arpentage et de mathématiques, cependant que certaines, mêlant l'utile à l'agréable, offrent des leçons de danse. D'autres montrent les travaux de l'aiguille aux demoiselles. Quelques-unes donnent dans leur académie un cours complet d'humanités, enseignant le latin, le grec, l'anglais, le français, le hollandais (low Dutch), la littérature et la poésie, l'histoire et la géographie. Les beaux-arts ne sont pas ignorés et l'on trouve au moins quatre maîtres de musique et trois professeurs de dessin, de peinture et d'architecture, dont les mieux connus sont François Baillairgé et Louis de Heer. Il y a même un chirurgien de l'armée qui se propose d'enseigner le «métier d'accoucheur» par la théorie et la pratique aux femmes qui possèdent les qualités de sobriété et de tendresse nécessaires.

5.
Cahier de mathématiques, enseignées en classe de Philo II. Cours fait la première fois au Séminaire en 1775 par le diacre Thomas-Laurent Bédard et suivi par Charles Chauveaux. Ce dernier sera professeur à son tour, de 1782 à 1786, en Philosophie et utilisera ce cours. Archives du Séminaire de Québec, M 122. (Photo Musée du Québec)

Le monde de l'éducation comme celui des affaires, des professions et de la religion a besoin du livre, de l'imprimé, l'agent par excellence de la culture savante. L'imprimerie s'installe à Québec dès 1764 et à Montréal en 1776. Conformément au modèle américain, l'imprimeur québécois est d'emblée un «imprimeur-journaliste», c'est-à-dire qu'en ouvrant une boutique d'imprimeur, il devient tout de suite éditeur d'un journal, à qui les annonces, les avis et les abonnements assurent un revenu fixe. Le public nord-américain est grand consommateur de journaux au XVIIIe siècle. Il est en effet avide des nouvelles des vieux pays autant qu'il désire savoir ce qui se passe autour de lui. Brown et Gilmore à Québec et Mesplet à Montréal établissent ainsi leur officine en éditant la *Gazette de Québec* et la *Gazette de Montréal,* tout en faisant fonction de libraire. Comme imprimeurs-éditeurs, ils publient encore des livres religieux ou des ouvrages dont l'administration publique a besoin, l'évêque, les séminaires ou le gouverneur faisant les frais de l'impression. Brown et Gilmore importent des livres surtout anglais tandis que Mesplet vend des livres français. La *Gazette de Québec* insère des annonces de plus de quarante-cinq libraires, encanteurs ou autres vendeurs de livres, dont une dizaine sont de langue française et se répartissent dans cinq villes ou bourgs du Québec. À ce moment-là comme aujourd'hui d'ailleurs, les libraires et autres diffuseurs de livres ne fournissaient pas tout le public lecteur. Les communautés religieuses et beaucoup de particuliers les faisaient venir eux-mêmes de France ou d'Angleterre. La Bibliothèque publique de Québec, mise sur pied à partir de 1779 par Haldimand, se pourvoit d'abord en Angleterre. Le Séminaire de Québec en fait venir par le Séminaire des Missions étrangères et les Ursulines en font autant par leurs Soeurs de la rue Saint-Jacques à Paris. La Quebec Public Library a eu, selon son premier catalogue, plus de livres français que de livres anglais. Le catalogue de la bibliothèque du Séminaire contient près de 5 000 titres en 1782 et dont plusieurs sont des ouvrages récents, notamment en sciences.

On peut penser que c'est ce public lecteur en partie qui fournit les membres aux clubs et autres

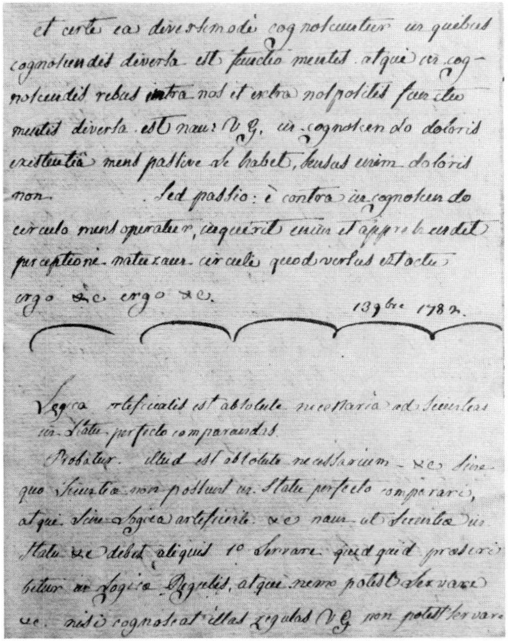

6.
Page du «Cours de philosophie» de l'abbé Charles Chauveaux. Le cours comprenait quatre parties: logique, métaphysique, morale et physique. Ce cours a été fait en 1782-1783 et en 1784-1785.
Archives du Séminaire de Québec, M 154.
(Photo Musée du Québec)

associations volontaires de Québec et de Montréal. L'armée anglaise avait déjà douze loges en 1759. Dix-neuf loges civiles verront le jour avant 1790, dont treize à Québec et six à Montréal. Il y avait d'ailleurs des Canadiens parmi ces Francs-maçons: la Loge Saint-Pierre, de Montréal, en compte dix sur quarante et un entre 1768 et 1771. À Québec, des officiers créent le «Club de la Garnison» pour garder le souvenir de ceux qui ont participé au siège de Québec en 1775. D'autres citoyens se regroupent dans l'«Assemblée de Québec», l'«Assemblée de Saint-Roch», la «Société Amiable» ou «Société du feu», la «Minerve Free Debating Society», la «Société des Amis», la «Select Society», la «Benevolent Society» et la «Société d'Agriculture». Les membres de ces cercles et clubs tiennent leurs réunions dans les cafés et les tavernes de la ville, à la mode européenne.

Toutes ces associations, ces loges, ces bibliothèques et officines ne rejoignent que des alphabétisés, des gens des métiers, du commerce, de l'administration et des professions libérales. Il y avait néanmoins d'autres aspects de la sociabilité urbaine où se côtoyaient des citoyens de tout rang et de toute condition. Ce sont d'abord l'église et le culte catholique ou protestant qui en donnaient les plus fréquentes occasions, à la messe ou au service dominical. Il y avait ensuite les grandes manifestations populaires commandées par le Château Saint-Louis à Québec, qui commencent en 1766 et se terminent en 1789. Elles comprennent des cortèges pour l'arrivée ou le départ du gouverneur, des parades et des défilés militaires pour célébrer l'anniversaire du roi ou de la reine, suivis d'illuminations en soirée. Ces défilés se répètent une trentaine de fois en 23 ans. Les régiments de la garnison attirent encore le bon peuple lorsque le gouverneur et les officiers de l'État-major les passent en revue une bonne vingtaine de fois. Le gouverneur offrait aussi aux membres de son entourage et aux «personnes présentées» des bals lors de l'anniversaire du roi ou des «levers», qui se tenaient à 11 heures. D'autres bals avaient également lieu, dont quelques-uns étaient organisés par le Club de la Garnison, qui comprenaient un souper et quelquefois un concert, suivi de danse. Pour un plus petit nombre, il y eut

THE QUEBEC GAZETTE. THURSDAY, June 21, 1764.

Nomb. 1. LA GAZETTE DE QUEBEC. JEUDY, le 21 Juin, 1764.

The PRINTERS to the PUBLICK.

Les IMPRIMEURS au PUBLIC.

7.
La première imprimerie est installée à Québec en 1764 par William Brown et Thomas Gilmore. Ils éditent la Gazette de Québec, *dont le premier numéro est publié le 21 juin. Le journal paraît une fois la semaine, sur quatre pages et deux colonnes, anglaise à gauche, traduite en français à droite. Les deux premières pages sont consacrées aux nouvelles, les deux dernières aux annonces et aux avis divers. Bibliothèque du Séminaire de Québec. (Photo Musée du Québec)*

8.
Le premier catéchisme imprimé à Québec fut le Catéchisme du diocèse de Sens, *de Mgr Jean-Joseph Languet, paru en 1727 à Soissons et à Québec en 1765. Il est réimprimé dès 1766. En 1777, Mgr Briand le fait publier à Montréal, chez Fleury Mesplet et Charles Berger, sous le titre de* Catéchisme à l'usage du diocèse de Québec, *avec quelques changements. L'édition suivante paraît à Québec en 1782. (Photo Musée du Québec)*

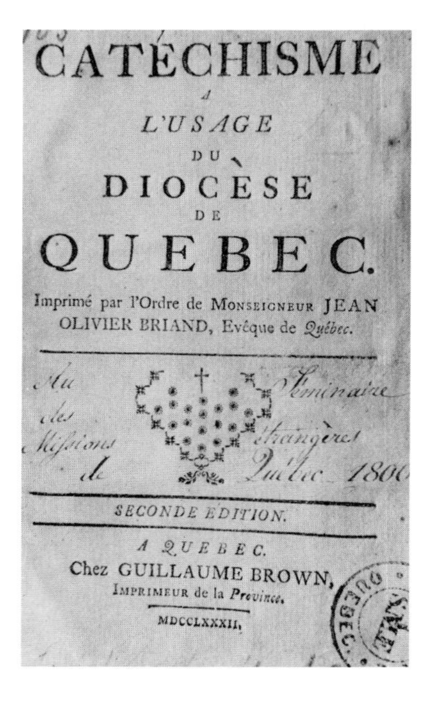
CATECHISME
A L'USAGE
DU
DIOCESE
DE
QUEBEC.
Imprimé par l'Ordre de MONSEIGNEUR JEAN OLIVIER BRIAND, Evêque de Québec.
SECONDE EDITION.
A QUEBEC.
Chez GUILLAUME BROWN, IMPRIMEUR de la Province.
MDCCLXXXII.

DICTIONNAIRE
DE
PHYSIQUE
DÉDIÉ
A MONSEIGNEUR LE DAUPHIN;
SECONDE ÉDITION
REVUE ET CORRIGÉE SUR L'ÉDITION EN TROIS VOLUMES IN QUARTO
Par M. AIMÉ-HENRI PAULIAN, Prêtre Associé à l'Académie Royale de Nismes.
TOME PREMIER.
A NISMES,
Chez GAUDE LIBRAIRE.
M. DCC. LXXIII.
Avec Approbation & Privilege du Roy.

9.
Page-titre du Dictionnaire de Physique *de Paulian, ouvrage largement utilisé en France à l'époque. Il a été apporté sans doute par Jean-Baptiste Lahaille, jeune français arrivé à Québec en 1775, qui deviendra prêtre du Séminaire. Ce livre a été l'une des sources du premier cours de physique de l'abbé Jérôme Demers en 1804. Bibliothèque du Séminaire de Québec. (Photo Musée du Québec)*

10.
L'un des nombreux livres des philosophes qu'on retrouve à Québec dans la seconde moitié du XVIIIe siècle. Il s'agit du t. III des Oeuvres diverses *de Jean-Jacques Rousseau intitulé* Du Contrat social, *édition de 1762, appartenant à Mgr D'Esglis, évêque de Québec de 1784 à 1788. Bibliothèque du Séminaire de Québec. (Photo Musée du Québec)*

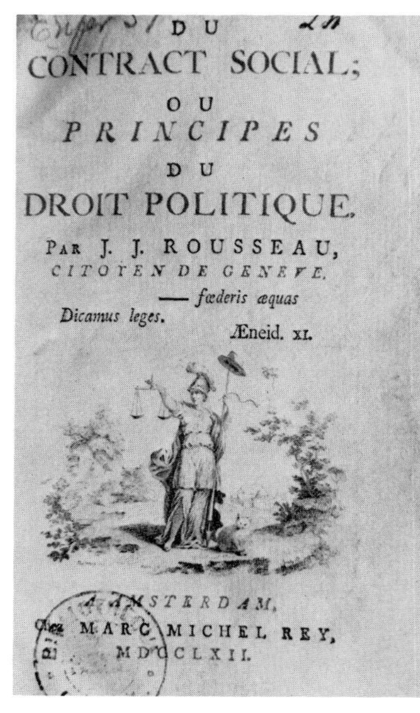
DU
CONTRACT SOCIAL;
OU
PRINCIPES
DU
DROIT POLITIQUE.
PAR J. J. ROUSSEAU,
CITOYEN DE GENEVE.
— fœderis æquas
Dicamus leges.
Æneid. XI.
A AMSTERDAM,
Chez MARC MICHEL REY,
MDCCLXII.

17 à l'index

HISTOIRE
PHILOSOPHIQUE
ET POLITIQUE
DES ÉTABLISSEMENS ET DU COMMERCE
DES EUROPÉENS DANS LES DEUX INDES.

Par GUILLAUME-THOMAS RAYNAL.

TOME PREMIER.

au Séminaire des missions étrangères de quebec
1780 —

A GENEVE,
Chez JEAN-LEONARD PELLET, Imprimeur de la Ville & de l'Académie.

M. DCC. LXXX.

11.
Considérant comme un mauvais livre le célèbre ouvrage de l'abbé Raynal, le Séminaire a décidé de l'acheter «pour le soustraire aux gens du monde qui pourraient en abuser».
Bibliothèque du Séminaire de Québec.
(Photo Musée du Québec)

quatre concerts et l'opéra *The Padlock* de Charles David Garrick fut joué trois fois en 1783 et deux fois en 1786. Le théâtre connut certes un peu plus d'activité, surtout le théâtre anglais, ce qui s'explique quand on sait que ce sont les officiers de la garnison qui en étaient les seuls responsables à Montréal comme à Québec. Dans la capitale, il y eut 68 pièces présentées entre 1783 et 1789, dont 4 du XVIe siècle, toutes de Shakespeare, 6 du XVIIe siècle, dont une de Molière et 5 de Thomas Otway et 38 d'auteurs du XVIIIe siècle. Quant au théâtre français, organisé par des jeunes hommes de la bonne société, il offre 15 pièces à Québec et à Montréal. C'est Molière et Regnard qui sont les plus souvent interprétés. Le Séminaire de Québec et le Collège de Montréal invitent enfin leurs amis à quelques distributions de prix. Les élèves de Québec jouent en 1775, en présence du gouverneur Carleton, *Le Monde démasqué* et le *Concert ridicule.* L'année suivante, à Montréal, les élèves montent *Jonathan et David* et le *Sacrifice d'Abraham* en 1778.

Une revue de la vie culturelle ne serait pas complète sans qu'on ne dise un mot de l'intelligentsia canadienne du temps. À Montréal, on la voit dans l'officine de Mesplet, autour de son rédacteur Valentin Jautard. On y retrouve Charles Lusignan, Pierre Du Calvet, les avocats Foucher et De Bonne, François Cazeau et le jeune Henri Mézière, futur révolutionnaire. Jautard avait d'ailleurs fondé là son Académie en 1778, où l'on était joyeusement voltairien. Les esprits éclairés devaient certes se réunir à Québec aussi, mais il leur fallait se montrer prudents près du gouverneur et de l'évêque. Ils se regroupaient peut-être chez les Salaberry, qui avaient un hôtel particulier rue des Remparts et un manoir à Beauport, où ils recevaient les notables des deux groupes ethniques. Il y avait d'autre part des hommes de grande qualité intellectuelle chez les prêtres du Séminaire de Québec, des Français comme MM. Gravé et Lahaille, des Canadiens comme MM. Thomas-Laurent Bédard et Charles Chauveaux, ou un Irlandais comme M. Edmund Burke.

L'autheur de ce livre est un impie.
on peut meme prouver par son ouvrage
quil est athée. Le Séminaire ne la acheté
110^{tt} que pour le soustraire aux gens du
monde qui auroient pu en abuser.
il doit etre placé dans la bibliotheque
hors la vue. et personne sans permission
et sans necessité ne peut le lire sans
courir risque d'en recevoir le scandaleux
poison. 1783. G

130

12.
Au verso de la page de garde, c'est l'inscription de M. Gravé pour expliquer comment ce mauvais livre a pu se retrouver dans la bibliothèque du Séminaire.
Bibliothèque du Séminaire de Québec. (Photo Musée du Québec)

13.
Portrait de l'abbé Raynal, dans son Histoire philosophique et politique, *édition de 1780 parue à Genève et achetée par le Séminaire de Québec en 1783. Bibliothèque du Séminaire de Québec (Photo Musée du Québec)*

LE DÉISME

RÉFUTÉ

PAR LUI-MÊME:

OU

EXAMEN, en forme de Lettres, des Principes d'incrédulité répandus dans les divers Ouvrages de M. ROUSSEAU.

Par M. BERGIER, Docteur en Théologie, Chanoine de l'Eglise de Paris, de l'Académie des Sciences, Belles-Lettres & Arts de Besançon.

CINQUIÈME ÉDITION REVUE ET CORRIGÉE.

PREMIERE PARTIE.

PARIS,

Chez [illegible], Libraire, rue S. Jacques, entre la rue du Plâtre & celle des Noyers, près S. Yves.

M. DCC. LXXI.

Avec Approbation & Privilége du Roi.

14.
Les livres des antiphilosophes se trouvaient à Québec autant que ceux des philosophes. Témoin celui du Chanoine Bergier contre le déisme de Rousseau, de la bibliothèque de Mgr J.-O. Briand, évêque de Québec. Bibliothèque du Séminaire de Québec. (Photo Musée du Québec)

Ce lendemain de Conquête est donc un temps de rajustement, de reconstruction, de mise en place d'une nouvelle vie sous certains rapports politiques, religieux et ethniques. Une partie des effectifs de la classe instruite a quitté le pays et la première génération du Régime anglais doit aller au plus pressé tant dans la vie culturelle que dans les autres domaines. Néanmoins, la culture populaire traditionnelle a vite repris sa place éminente parmi les occupations rurales, tandis que la culture urbaine montre un rythme d'activité qui n'est point si faible, entrecoupé par les fêtes religieuses et civiles, cependant que les cercles de discussions, les écoles et les collèges, les notables, le clergé, les officiers de la garnison et la haute administration ont une vie intellectuelle et sociale assez développée pour permettre à l'art de s'exprimer dans un milieu favorable et apte à l'apprécier.

Claude Galarneau
Professeur au département d'histoire
Université Laval, Québec

NOTES BIBLIOGRAPHIQUES

Sources manuscrites

Archives nationale du Québec, «*Rhetorica in Seminario Quebecensi.* Data anno 1770. Auctore D.D. Leguerne. Professore D.D. Boiret», cahier relié de 341 p., AP G143. Archives du Séminaire de Québec, «*Traité du compas de proportion.* Donné par M. Thomas Bédard Diacre, Professeur de mathématiques à Québec, L'an 1775», cahier non paginé, M. 122. «*Cours de philosophie*» de l'abbé Charles Chauveaux, 1782-1783, 121 p. en latin, M. 154.

Sources imprimées

Bergier, M. *Le déisme réfuté par lui-même ou examen, en forme de lettres, des principes d'incrédulité répandus dans les divers ouvrages de M. Rousseau,* Paris, Humblot, 5e éd. MDCCLXXI. *Catéchisme à l'usage du diocèse de Québec, imprimé par l'Ordre de Monseigneur Jean Olivier Briand, évêque de Québec,* à Québec, chez Guillaume Brown, imprimeur de la Province, MDCCXXXII, 205 p. *La Gazette de Québec,* éditée par William Brown et Thomas Gilmore. Le premier numéro parut le 21 juin 1764; hebdomadaire de 4 pages, sur 2 colonnes: anglaise à gauche, traduction française à droite. Paulian, A.-H., *Dictionnaire de physique,* 2e éd., Nismes, Gaude Libraire, 1773. Raynal, G.-T., *Histoire philosophique et politique des établissements et du commerce des Européens dans les deux Indes,* Genève, Pellet, MDCCLXXX. Rousseau, J.-J., *Oeuvres diverses de J.J. Rousseau, t. III, Du Contrat Social ou principes du droit politique,* Amsterdam, Marc Michel Rey, MDCCLXII.

Études

Amtmann, W., *La musique au Québec (1600-1875),* Montréal, les Éditions de l'Homme, 1976, 420 p. Burger, B., *L'activité théâtrale au Québec (1765-1825),* Montréal, Les Éditions Parti Pris, 1974, 410 p. Galarneau, C., «*L'enseignement des sciences au Québec et Jérôme Demers (1765-1855)*», 19 p., pour paraître dans les *Mélanges Trudel.* Rainville, S., *La vie sociale à Québec de 1764 à 1815 à partir des annonces de la Gazette de Québec,* mémoire de licence, Département d'études canadiennes, 1971, III-91 p. *Le théâtre canadien-français. Évolution. Témoignages. Bibliographie,* Montréal, Fides, 1976, Archives des lettres canadiennes, t. V, 1005 p.

L'architecture au Québec (1760-1790)

Luc Noppen

Le développement d'une architecture traditionnelle

1. *La situation historique et le milieu dans lequel se développe l'architecture*

Les quelque trente années qui forment la période qui nous préoccupe dans cet essai ont été marquées par des événements militaires et des gestes politiques amenant la transformation de la Nouvelle-France et consacrant son statut de province de l'Empire britannique. Les événements militaires ont été importants dans la détermination du caractère de ce nouveau pays. En 1759, Québec tombe aux mains de l'armée britannique après la bataille des Plaines d'Abraham, et Lévis est défait l'année suivante sur les hauteurs de Sainte-Foy. Le traité de Paris vient consacrer le statut de la nouvelle colonie après quelques années de régime militaire, en 1763. En 1775, ce sont les Américains qui prennent Montréal et assiègent Québec. L'effort de guerre britannique les dissuadera cependant de leur tentative d'annexion. Finalement, la destinée du Québec se précise en 1789, alors que l'impact négatif de la Révolution française convainct le clergé et l'élite du Québec des bienfaits de la royauté britannique. Finalement, en 1791, la création de l'Assemblée Législative consacre le statut de la majorité francophone du Bas-Canada, et pour la première fois depuis la Conquête, la destinée du Québec se précise.

Par le jeu de la politique et le hasard de la guerre, la Nouvelle-France de 1759 est devenue en 1790 le seul territoire britannique en Amérique du Nord. Pendant ces trente années, devant la situation politique incertaine, les Québécois, privés de ressources nouvelles, vont délibérément opter pour un repli sur eux-mêmes. L'essentiel de l'effort en architecture va porter sur une continuité avec le Régime français. Cette continuité s'explique par plusieurs facteurs qui interviennent à des degrés divers.

Tout d'abord, l'incertitude à propos de l'avenir du Québec comme colonie britannique, du moins jusqu'à l'Indépendance américaine, empêche la réalisation de grands projets de la part du gouvernement. De plus, comme l'immigration britannique au Québec est relativement faible jusque vers 1790 on comprend que le visage de la Nouvelle-France ne subit que peu de changements; d'ailleurs la colonie anglophone de

fig. 1
Québec. Vue de la place Royale en 1759. Dessin gravé de Richard Short.
(Photo Musée du Québec)

Québec et de Montréal est encore trop peu nombreuse pour véritablement l'influencer.

Dans le domaine de l'architecture, de façon particulière, l'apport britannique demeure négligeable jusque vers 1790. On ne retrouve, en effet, aucune trace de l'arrivée d'une main-d'oeuvre spécialisée, encore moins d'architectes. Ceux-ci commenceront à influer sur l'architecture après 1790, notamment lors de la construction des premiers édifices publics du Bas-Canada et de l'érection des vastes demeures de la nouvelle élite qui s'installe.

La main-d'oeuvre, qui voit à la reconstruction après l'effort de guerre d'abord et aux besoins nouveaux d'une population en pleine croissance par la suite, demeure donc essentiellement québécoise. Ce sont les maîtres-maçons, charpentiers et sculpteurs formés au pays ou arrivés d'Europe avant la Conquête. Cependant cette légion d'artisans a été décapitée. En effet, les maîtres-d'oeuvre, architectes et ingénieurs français ont abandonné la colonie à la Conquête ou sont décédés. Ceux qui ont élaboré la tradition architecturale québécoise de 1700 à 1760, tel Gaspard Chaussegros de Léry ou Jean Maillou, sont décédés. Après la Conquête, il ne reste au Québec aucun architecte, au sens strict du terme, et tout le poids de l'effort de reconstruction repose dès lors sur les épaules des artisans de la construction qui vont transmettre leur métier et les formes qu'ils connaissent par l'apprentissage.

Par ailleurs, la législation très stricte du Régime français en matière de construction, surtout en milieu urbain, demeure inchangée après la Conquête. Ne voulant pas légiférer dans un domaine où les habitudes sont déjà bien établies, le gouverneur de la nouvelle colonie se contente, à l'occasion, de rappeler les ordonnances des intendants. Les habitudes anciennes sont déjà ainsi confirmées, et les artisans de la construction n'ont pas à se soumettre à de nouvelles contraintes. Ils continuent donc tout naturellement à utiliser les mesures françaises et à prendre comme guide la Coutume de Paris dans un milieu où les mêmes visages se retrouvent. La clientèle en architecture est par ailleurs essentiellement francophone. Il y a, bien entendu, les chantiers de reconstruction

fig. 2
Québec. Vue de la côte de la Montagne et du palais épiscopal en 1759. Dessin gravé de Richard Short.
(Photo Musée du Québec)

sommaire des édifices publics où la main-d'oeuvre transige avec les nouveaux gouvernants, mais de façon générale les énergies sont mobilisées par les habitants francophones, groupe qui connaît un accroissement spectaculaire en nombre.

Sont alors réunies toutes les conditions qui vont favoriser l'éclosion d'une architecture traditionnelle. Pendant près de trente ans, on utilisera l'architecture du Régime français comme unique référence et le savoir-faire de l'homme de métier comme école pour l'apprenti. Dans ce monde en vase clos, la reproduction des formes devient la règle, l'innovation devient l'exception. L'artisan met en effet l'accent sur la qualité de l'exécution plutôt que sur la qualité de la conception. C'est l'âge d'or pour les Jean Baillairgé, Pierre Émond, Jean-Baptiste Boucher Belleville, Michel Parent, menuisiers qui deviennent sculpteurs ou maçons qui se nomment architectes.

À travers les principales catégories de l'architecture, nous tenterons d'illustrer le sens du développement de cette architecture traditionnelle.

2. *Les fortifications et le développement des villes: Québec et Montréal.*

Les bombardements anglais du Siège de Québec laissent la ville dans un triste état. Plusieurs centaines de maisons sont détruites, et il n'y a pas un édifice important intact. La première préoccupation du général Murray, gouverneur de la ville, est de rétablir un nombre suffisant de logements pour les habitants et la garnison. À cette fin, plusieurs soldats de la garnison sont employés, pendant l'hiver 1759-60, à la réparation des maisons incendiées ou bombardées. Les gravures de Richard Short, dessinées en 1759, sont des documents de première main pour évaluer l'ampleur des dégâts. On y voit la Place Royale en ruines, la Côte de la Montagne dévastée de même que les dégâts importants causés par le feu autour de la cathédrale de Québec (fig. 1, fig. 2, fig. 3).

Conscient de la faiblesse des fortifications de la ville, le général Murray dresse dès 1762 un rapport dans lequel il insiste sur la nécessité de consolider la défense de la ville, notamment par la construction

fig. 3
Québec. Vue de la côte de la Fabrique et de la cathédrale en 1759. Dessin gravé de Richard Short.
(Photo Musée du Québec)

d'une citadelle. Déjà projetée dès 1716 par l'ingénieur du Roi, Gaspard Chaussegros de Léry, cet ensemble militaire n'avait cependant pas été réalisé, et il faudra attendre les années 1820-30 pour voir prendre forme ce projet sous la direction de Elias-Walker Durnford, officier du corps des ingénieurs militaires anglais. Les intentions de Murray ont cependant été transcrites dans deux projets. En effet, en 1762, le major Samuel Holland dresse les premiers plans complets d'une citadelle sur le Cap Diamant (fig. 4). Sans plus de succès, le capitaine Gordon se livre au même exercice en 1768, faisant compléter son projet par des plans de casernes dessinés par John Marr. Ce n'est qu'après l'attaque de Québec par les Bostonnais en 1775, alors qu'on doit défendre la ville avec les fortifications françaises réparées à la hâte, que le gouverneur Haldimand demande au capitaine Twiss d'établir une citadelle temporaire. Un plan de 1783 nous montre l'état de ces travaux, à l'ouest de l'emplacement de la citadelle actuelle (fig. 5). Ces travaux sont également illustrés par une aquarelle de James Peachey, réalisée en 1784, qui nous présente la ville de Québec, vue de l'ouest (fig. 6).

C'est l'avenir incertain de la nouvelle colonie qui fut vraisemblablement à l'origine du refus du gouvernement britannique d'effectuer des travaux de fortification d'envergure. En d'autres circonstances, on aurait pu voir s'ériger, de 1760 à 1790, un ensemble de fortifications et de bâtiments militaires qui auraient été les premiers témoins de l'influence anglaise sur l'architecture du Québec.

Si les travaux de fortification n'ont pas mobilisé les énergies immédiatement après la Conquête, la ville s'est cependant rapidement développée. À l'intérieur des murs, de nouvelles rues apparaissent (Sainte-Ursule, des Grisons), et la densité des habitations s'intensifie. Ceci s'explique par l'accroissement considérable de la population qui, de 1760 à 1790, passe de 7,000 à 20,000 habitants. Comme cet accroissement est plus fort chez les francophones, on explique ainsi le développement des faubourgs où se retirent les habitants les moins fortunés. En 1783, apparaît pour la première fois sur le plan de Québec le faubourg Saint-Jean-Baptiste, désormais non négligeable. En même temps qu'elle se développe à l'ouest, la ville

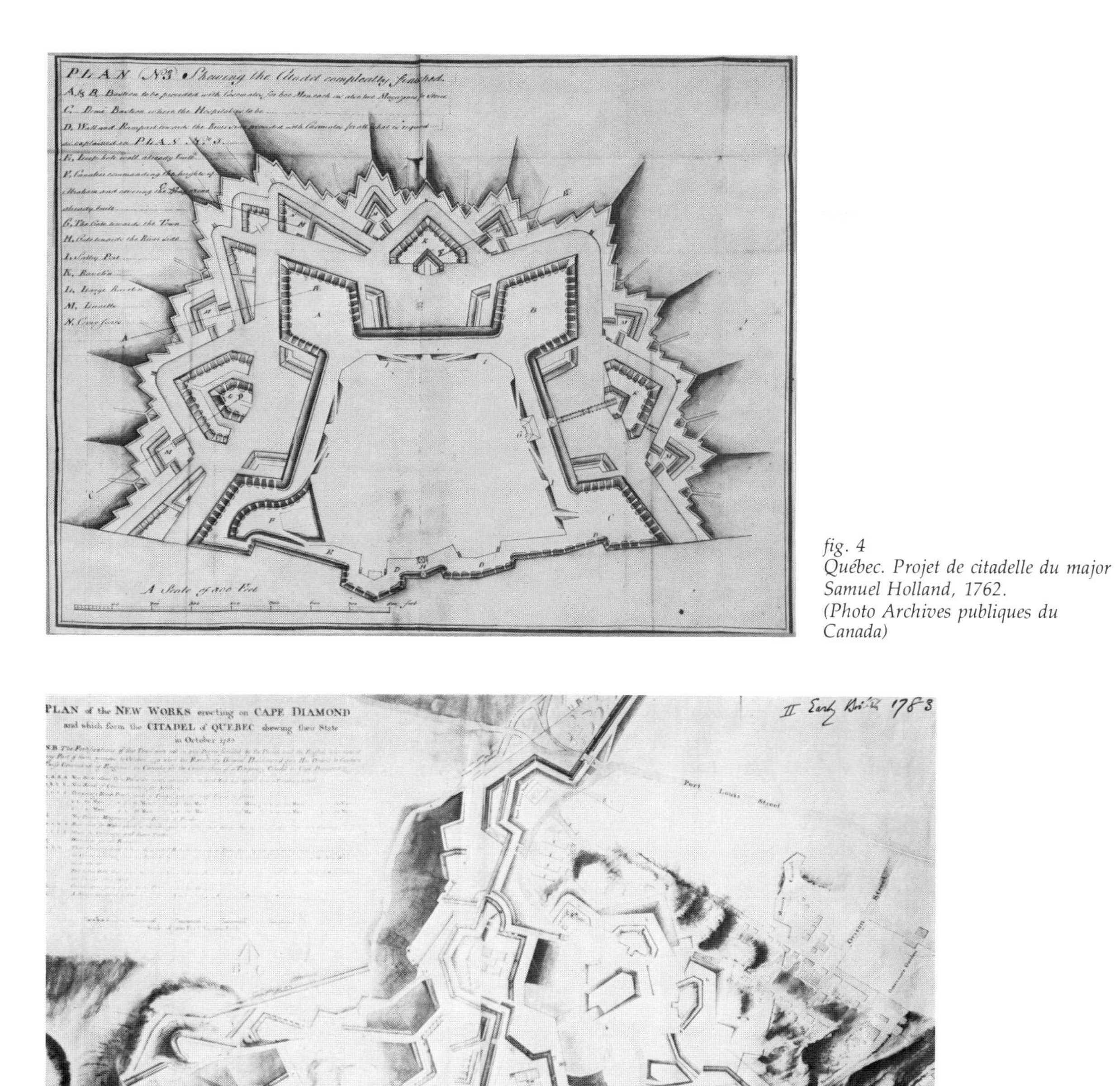

fig. 4
Québec. Projet de citadelle du major Samuel Holland, 1762.
(Photo Archives publiques du Canada)

fig. 5
Québec. Plan de la ville en 1783 par le capitaine Twiss.
(Photo Inventaire des Biens Culturels)

fig. 6
Québec. Vue des fortifications et de la citadelle temporaire. Aquarelle de James Peachey, 1784.
(Photo Archives publiques du Canada)

prend de l'expansion au nord. Le faubourg Saint-Roch grandit, en effet, dans le prolongement du quartier du Palais. Dans ces faubourgs et même en ville se construisent un grand nombre de maisons en bois. Ce qui fait dire à François-Joseph Cugnet en 1775, dans son *Traité de Police,* que régnait à Québec la «liberté anglaise». Il constate «qu'un quart de la ville de Québec est bâti en bois» et que «ces maisons non seulement défigurent la ville mais en cas d'incendie sont extrêmement dangereuses».

L'expansion de la ville de Québec semble se faire sans plan d'ensemble précis. Les premiers cadastres régissant la division ordonnée des lots apparaissent plutôt après 1790, lorsque la Chambre d'Assemblée légifère au sujet du développement de Québec et de Montréal.

Il y eut cependant quelques projets visant à régler l'ordonnance des villes. Ainsi, à Québec en 1782, Jacques Dénéchaud, marguillier de la paroisse Notre-Dame présente un projet de marché sur la place devant la cathédrale (catalogue no 17). La présentation de ce projet fait suite aux délibérations des Juges de Paix, administrateurs de la ville, concernant la tenue des marchés publics. Préoccupés par la propriété du terrain en face de la cathédrale, les marguilliers semblent décidés d'exploiter cet espace à l'avantage de la fabrique. Le projet de Dénéchaud est intéressant à un double point de vue. D'une part, il s'agit de l'aménagement d'une place publique jusque-là laissée à l'abandon. D'autre part, le type d'architecture proposé est, en tous points, conforme à celui des bâtiments environnants. L'auteur du plan a donc posé un acte d'urbanisme, tout en demeurant fidèle à la tradition architecturale. Toutefois, comme ce sera le cas pour les projets de citadelle, il faudra attendre l'avènement du XIXe siècle pour voir se réaliser une halle de marché devant la cathédrale. Ce sera alors un édifice qui retiendra l'attention par son architecture palladienne.

La ville de Montréal n'évolue guère différemment. Les plans du début du XIXe siècle démontrent un développement des faubourgs à l'extérieur de l'enceinte fortifiée et une plus grande densité de l'habitation à l'intérieur des murs. La ville elle-même

fig. 7
Montréal. Vue de la ville par Thomas Patten en 1763. (Photo Musée du Québec)

ne change guère, et l'image que propose Thomas Patten en 1763 présente une silhouette qui demeure familière aux Montréalais jusqu'à l'aube du XIXe siècle (fig. 7). Même si la population de Montréal passe de 7,000 à 14,000 habitants, cette croissance rapide n'a en rien altéré le caractère français de la ville, le groupe anglophone étant très peu important. C'est l'indépendance américaine et la poussée vers l'ouest qui déterminera, après 1800, le rôle de la métropole. Comme Québec, Montréal des années 1760-1790 attend, bousculée par la guerre de Sept Ans et l'occupation américaine en 1775. À Montréal, les dommages sont cependant à peu près nuls.

L'avènement du XIXe siècle marquera le destin des deux grandes villes du pays. Québec, la capitale sera fortifiée et deviendra un des bastions de l'Empire britannique. Montréal, la métropole, sera dépouillée de son enceinte et deviendra la plaque tournante d'un commerce florissant, alimenté par le développement progressif du Haut-Canada et les relations avec les États-Unis.

3. *Les édifices publics*

À la Conquête, les édifices publics de Québec sont lourdement endommagés. Dans les années qui suivent, le gouverneur et les autorités concernées s'empressent de rétablir sommairement les édifices, en vue de loger les troupes et d'abriter temporairement l'administration de la nouvelle colonie britannique. On comprend que les nouveaux occupants ne sont pas intéressés à rétablir les palais somptueux dans leur splendeur ancienne: ces édifices témoignaient avant tout de la présence française en Amérique du Nord. Lorsqu'après 1790 le gouvernement du Bas-Canada cherchera à loger plus convenablement ses institutions, on construira tout naturellement de nouveaux bâtiments, symboles de la présence anglaise. Ce sera l'époque de l'architecture palladienne.

Le Siège de Québec rend inhabitable le palais épiscopal, et l'évêque se retire à Charlesbourg. Dans sa *Description imparfaite de la misère du Canada* Mgr Pontbriand parle de sa résidence, en 1759:

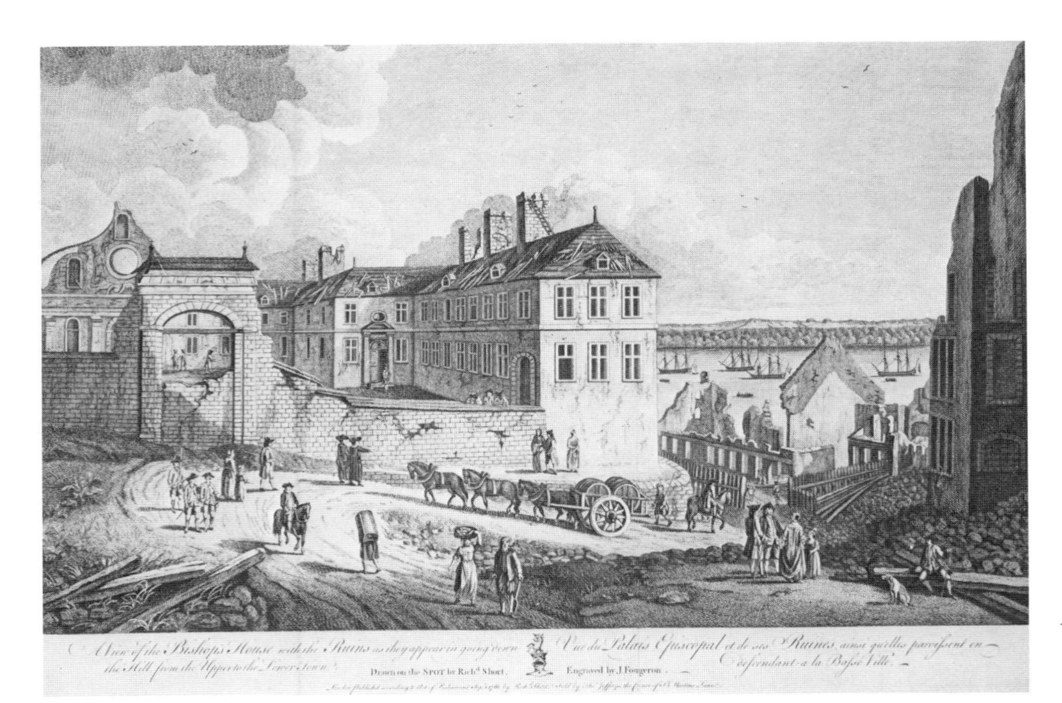

fig. 8
Québec. Vue du palais épiscopal.
Dessin gravé de Richard Short.
(Photo Musée du Québec)

> «Québec a été bombardé et canonné pendant l'espace de deux mois; cent quatre vingt maisons ont été incendiées par des pots à feu, toutes les autres criblées par le canon et les bombes . . . Le palais épiscopal est presque détruit et ne fournit pas un seul appartement logeable: les voûtes ont été pillées».

C'est à peu près l'état du palais épiscopal que nous fait connaître Richard Short par deux gravures (fig. 2, fig. 8).

Après la Conquête, le palais épiscopal demeure délabré quelques années. À son arrivée en 1766, Mgr Briand se loge au Séminaire. Il fait néanmoins entreprendre des travaux de réfection. Ces travaux sont terminés en 1775, mais deux ans plus tard l'évêque consent à louer l'édifice au gouvernement pour une période de neuf ans. Cette location est par la suite renouvelée à plusieurs reprises, et c'est finalement cet édifice qui accueille en 1792 la première Assemblée Législative du Bas-Canada. Une vue de ce premier parlement nous donne une idée de la qualité du rétablissement du bâtiment: toute l'ornementation a disparu, et le classicisme français a fait place à la sobriété d'une architecture d'après-guerre (fig. 9).

Le château Saint-Louis ne connaît pas un sort meilleur. Son premier occupant anglais, le capitaine Knox, nous dit que l'édifice a beaucoup souffert des bombardements anglais. Le château Saint-Louis est rétabli à deux reprises: en 1764, immédiatement après la Conquête, alors que le gouverneur décide de s'y établir et en 1786, alors qu'on le remet en état une seconde fois. Un dessin sommaire de William Morris nous montre le bâtiment en 1804, avant sa reconstruction totale en 1810-11 (fig. 10). En 1786, le gouverneur Haldimand fait construire un nouveau corps de logis, en face du château Saint-Louis, pour servir aux réceptions et aux bals du gouvernement. Le château Haldimand est inauguré en 1787 et sera démoli en 1892 pour faire place au Château Frontenac. Cet édifice public est, en fait, le seul à être construit pendant les trente années qui suivront la Conquête. C'était un édifice peu spectaculaire, ressemblant plutôt à une vaste maison qu'à un édifice public. En dehors du profil de la toiture, de la position des cheminées et de leur

fig. 9
Québec. Vue du palais épiscopal converti en parlement. Gravure de Smillie, 1828.
(Photo Archives nationales du Québec)

forme, ce bâtiment se rattache à la tradition architecturale du Québec et n'annonce guère le renouveau formel de l'architecture palladienne anglaise qui apparaîtra à peine quelques années plus tard (fig. 11).

Le palais de l'Intendant construit en 1726 dans le quartier du Palais est l'édifice public qui eut le moins à souffrir de la guerre. La gravure que nous en a laissé Short le montre en bon état (fig. 12). Situés en dehors des murs de la ville, ce bâtiment et ses annexes sont utilisés par les occupants comme logement pour les troupes et entrepôt. En 1775, les Américains l'occupent, et ce sont les boulets de la garnison de Québec qui le détruisent pour en déloger les assiégeants. L'aquarelliste anglais Georges Heriot nous a laissé des vues saisissantes des ruines du palais de l'Intendant en 1799. Ce n'est qu'en 1870 que ces ruines disparaissent complètement lors de la construction d'une brasserie (fig. 13).

À Montréal, la situation se présente tout autrement. N'ayant pas subi l'assaut des troupes anglaises, la ville est investie sans dommages. Dès lors, le gouverneur anglais remplace son prédécesseur français dans le château de Ramezay, entièrement reconstruit en 1755. Le château Vaudreuil est quant à lui utilisé par les Sulpiciens qui y installent leur collège. Il n'y a pas eu de chantiers de reconstruction à Montréal. On n'y construit pas de nouveaux édifices publics non plus. Là aussi, il faut attendre le début du XIXe siècle pour voir apparaître une architecture officielle sous un nouveau visage. Ce sera le cas avec un nouveau palais de justice et une prison, immédiatement après 1800.

fig. 10
Québec. Dessin représentant le château Saint-Louis en 1804, oeuvre de William Morris. (Photo Inventaire des Biens Culturels).

fig. 11
Québec. Vue du château Haldimand peu avant sa démolition en 1892. (Photo Archives nationales du Québec)

fig. 12
Québec. Vue du palais de l'Intendant en 1759. Dessin gravé de Richard Short.
(Photo Musée du Québec)

fig. 13
Québec. Vue des ruines du palais de l'Intendant après 1775. Aquarelle de George Hériot.
(Photo Royal Ontario Museum)

fig. 14
Québec. Vue du collège des Jésuites, utilisé comme caserne, avant sa démolition en 1875.
(Photo Archives publiques du Canada)

4. *Les édifices des communautés religieuses*

La décision du gouvernement britannique de supprimer les communautés religieuses d'hommes contribue au changement de vocation de plusieurs bâtiments importants. À Québec, le couvent des Récollets est utilisé comme prison militaire, et la chapelle comme lieu de culte de la population britannique jusqu'à l'incendie des édifices de la place d'Armes en 1796. Le collège des Jésuites est utilisé comme caserne et ce, jusqu'au retrait de l'armée britannique. L'édifice sera ensuite démoli en 1875 (fig. 14). Utilisée comme entrepôt, puis désaffectée, l'église des Jésuites avait subi le même sort en 1800. Le même phénomène se produit à Montréal, alors que Jésuites et Récollets cédèrent leurs propriétés au gouvernement. Le complexe des Jésuites est utilisé à diverses fins et, avant d'être démoli, sert de prison. Le couvent des Récollets de Trois-Rivières, d'abord occupé par l'armée, sert de prison, tandis que la chapelle est cédée, d'abord partiellement, puis en entier, au culte anglican. Aujourd'hui, le couvent et la chapelle servent encore à cette fin, après avoir été reconstruits au début du XIXe siècle selon le goût de l'époque: la nouvelle architecture palladienne.

Dans l'ensemble, les bâtiments recyclés après la Conquête n'ont guère été avantagés. À l'exception de l'ensemble de Trois-Rivières, ils n'ont pas survécu. Dès que la situation de la nouvelle colonie s'est stabilisée, de nouveaux bâtiments sont venus les remplacer. En somme, ils n'ont joué qu'un rôle de suppléance durant la période de transition que constituent les trente années qui suivent la Conquête. Il en est tout autrement chez les communautés religieuses auxquelles le gouvernement britannique accorde le droit de se perpétuer. Celles-là rétablissent leurs bâtiments endommagés, les agrandissent et vont même jusqu'à en construire d'autres. L'effort de construction demeure cependant moins important qu'avant la Conquête, et ceci à cause du contexte encore incertain.

Les Ursulines de Québec reçoivent l'aide du gouverneur Murray pour rétablir leur monastère et leur chapelle qui sert dès lors pour quelque temps

fig. 15
Château-Richer. Le moulin du Petit-Pré, autrefois propriété du Séminaire de Québec, aujourd'hui reconstitué par le Ministère des Affaires culturelles selon son état vers 1765.
(Photo Guy Giguère)

comme église paroissiale de Québec. Lorsque les Ursulines reprennent leurs activités d'enseignement en 1767, elles rétablissent le bâtiment des classes des externes. Le Séminaire de Québec reprend dans l'enseignement la place occupée par les Jésuites avant la Conquête. On se préoccupe donc de rétablir les bâtiments et de construire. Ainsi en 1773, on décide de rebâtir le pavillon du Sud, après le rétablissement de la chapelle, effectué de 1761 à 1764. C'est cependant à l'extérieur de la ville que le Séminaire fait preuve d'un dynamisme peu ordinaire dans la construction. En effet, trois bâtiments importants sont rétablis ou construits: la maison Maizerets, le château Bellevue et le moulin du Petit-Pré.

Le moulin du Petit-Pré, aujourd'hui reconstitué par le Ministère des Affaires culturelles, a été construit par le Séminaire de Québec à Château-Richer en 1695. Allongé de 12 pieds en 1741-42, ce moulin est incendié en 1759 lors des expéditions de l'armée anglaise sur la côte de Beaupré, avant la prise de Québec. C'est donc le bâtiment du Régime français que le Séminaire entreprend de reconstruire de 1760 à 1764. Les contrats de reconstruction, suffisamment explicites, et le relevé des bâtiments existants ont encouragé la reconstitution de l'édifice dans l'état où il se trouvait de 1760 à 1790 (fig. 15).

Après la Conquête, le moulin est rétabli tel qu'il existait auparavant. Dans le détail, il se peut qu'on y ait fait quelques modifications cependant. De toute évidence, c'est encore après la Conquête, l'architecture des bâtiments du Séminaire de Québec qui a inspiré les constructeurs. Ainsi, François Charlery convient, dans le marché de charpente du 17 juillet 1764, que «toute la charpente sera de même échantillon que celle que j'ai posée sur le corps de logis du dit séminaire». Un document de l'année précédente fait état des quantités de bois nécessaires à ce rétablissement de la charpente et comporte aussi un plan de charpente. Dans le cas du moulin du Petit-Pré, l'emprise du modèle est donc évidente, mais il s'impose plus par le biais de l'homme de métier que par son caractère formel. Autrement dit, c'est la charpente qui, une fois installée, résulte en une forme de toiture et non plus la volonté d'établir un toit pavillon qui com-

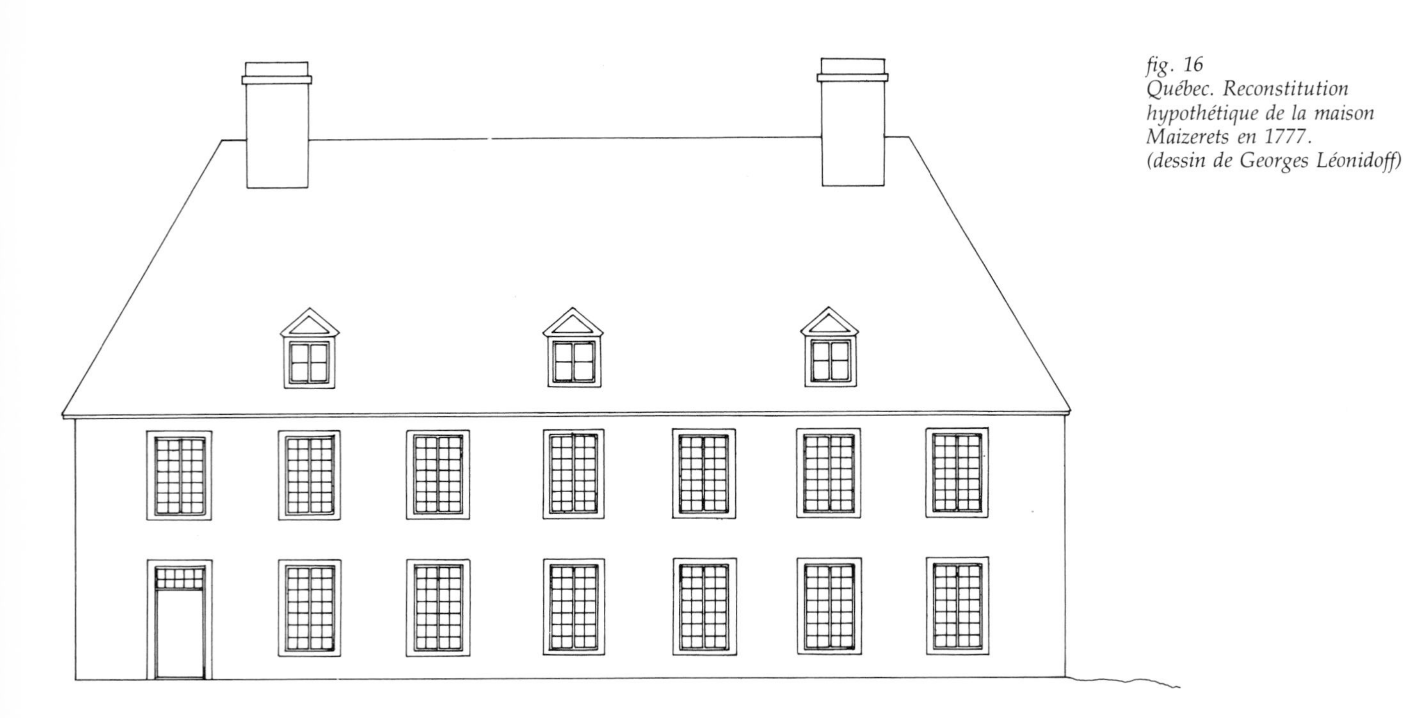

fig. 16
Québec. Reconstitution hypothétique de la maison Maizerets en 1777.
(dessin de Georges Léonidoff)

mande un type de charpente. Dans l'ensemble, les formes utilisées sont héritées du Régime français et ne sont guère remises en question. Les artisans, habitués à réaliser ces formes, les reproduisent donc naturellement. L'influence de l'architecture du Séminaire et de la tradition qu'elle engendre apparaît avec plus d'évidence encore lors de la construction de la maison Maizerets à Québec et du château Bellevue à Saint-Joachim.

Le Séminaire de Québec avait acquis en 1705 une terre sur la Canardière, entre Québec et Beauport. Sur cette terre était située une maison que le Séminaire fit reconstruire, dès avant la Conquête, et qui fut utilisée comme maison de repos. En 1775, les Américains occupent la maison de la Canardière et y mettent le feu lorsqu'ils la quittent. Le Séminaire de Québec décide donc de rebâtir l'édifice. On choisit toutefois de reconstruire à deux étages et de doter l'édifice d'un toit pavillon, orné de lucarnes et percé d'une souche de cheminée (fig. 16). À cette occasion, la maison est divisée en deux par un mur coupe-feu qui longe la cheminée et isole la cuisine et l'escalier des grandes pièces communes (fig. 17). Le maître-d'oeuvre de cette reconstruction, Michel-Augustin Jourdain s'est visiblement inspiré de l'architecture du Séminaire de Québec pour construire ce bâtiment (fig. 18). La structure à deux étages, la forme du toit et l'implantation d'un mur coupe-feu, sont autant d'éléments qui témoignent de l'influence du modèle québécois.

Il y a cependant quelques éléments différents. Ainsi, les bâtiments du Séminaire se rejoignent à angle droit, ce qui supprime les toitures en croupe aux extrémités. De plus, la forme des ouvertures des bâtiments du XVIIe siècle est autre: les fenêtres ont un couronnement en segment d'arc. Enfin, les premiers bâtiments du Séminaire possédaient des cages d'escalier indépendantes, à l'extérieur, généralement couvertes d'un toit pavillon ou d'une toiture impériale. Le maître-d'oeuvre de Maizerets ne reprend pas ces éléments, préférant la tradition architecturale du début du XVIIIe siècle, alors que les fenêtres adoptent une forme carrée et que les escaliers prennent place à l'intérieur des bâtiments avec l'apparition des murs

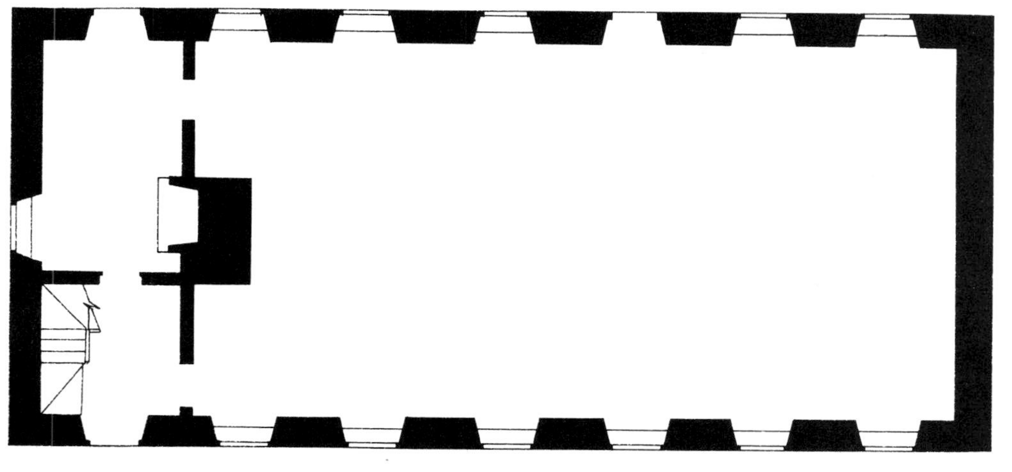

fig. 17
Québec. Plan de la maison Maizerets, telle qu'elle fut reconstruite après 1775.
(dessin de Georges Léonidoff)

coupe-feu. Isolé, le premier pavillon de Maizerets est doté de croupes; comme matériau de couverture, on utilise du bardeau, et non pas de l'ardoise.

À Saint-Joachim, une situation différente aboutit au même résultat. À la Conquête, l'établissement du Séminaire, la Grande Ferme, est ruiné par la flotte anglaise qui passe. Au lieu de reconstruire au même endroit, le Séminaire choisit le site du Petit Cap, à l'ombre du Cap Tourmente, tandis que la paroisse s'établit dans la plaine, plus en retrait. En 1777-78, le maître-d'oeuvre de Maizerets, Michel-Augustin Jourdain érige le château Bellevue, résidence du Séminaire à Saint-Joachim (fig. 19). C'est un édifice en tous points semblables à celui qu'il venait d'ériger, hormis les divisions intérieures. Cette différence s'explique par le fait qu'il s'agit d'une structure entièrement nouvelle et donc non soumise aux fondations d'une autre époque. À Petit Cap, la parenté avec le Séminaire est encore plus accentuée par la présence du portail en pierre de taille sur la façade principale (fig. 20).

C'est à partir de ces édifices importants érigés en milieu rural que l'architecture des bâtiments du Séminaire de Québec se diffuse, même dans des constructions de moindre importance.

La forme générale du bâtiment est reprise, entre autres, au manoir Mauvide-Genest à l'île d'Orléans. À une échelle plus réduite, les anciens manoirs de la Baie-Saint-Paul (métairie du Séminaire) et des Jésuites de la Canardière en reprenaient la caractéristique principale: le toit pavillon orné d'épis. Le presbytère de Saint-Joachim, construit peu après le château Bellevue, reçoit une imitation du portail de pierre de taille de celui-ci (fig. 21). Et, de façon générale, l'architecture domestique de la côte de Beaupré se ressent de la présence de ces édifices importants, modèles intermédiaires, et de l'habileté artisanale de leurs constructeurs (toit pavillon, murs crépis, ordonnance régulière des ouvertures, forme de charpente).

fig. 18
Québec. Vue des bâtiments du Séminaire de Québec, après l'incendie de 1865.
(Photo Musée du Québec)

fig. 19
Saint-Joachim. Vue du château Bellevue au Petit-Cap tel que construit en 1778 par Michel-Augustin Jourdain.
(Photo Inventaire des Biens Culturels)

fig. 20
Saint-Joachim. Vue du portail principal du château Bellevue. Michel-Augustin Jourdain, 1779. (Photo Guy Giguère)

5. *L'architecture religieuse*

Au lendemain de la Conquête, la situation n'est pas catastrophique en architecture religieuse. Sur 140 églises ou chapelles existantes, huit, dont sept dans le Gouvernement de Québec, sont complètement détruites. Parmi celles-là, quatre se retrouvent à Québec: la cathédrale, Notre-Dame-des-Victoires, la chapelle du palais épiscopal et l'église de Sainte-Foy. Par contre, un grand nombre d'églises ont été touchées par la guerre; elles nécessitent des travaux de rétablissement.

Dans un premier temps, les paroissiens des différentes localités vont rétablir les églises touchées. Avant 1770, il n'y a guère de nouveaux bâtiments qui sont construits. Puis, l'accroissement de la population et le délabrement de certains édifices religieux du Régime français nécessitent une reconstruction intégrale de plusieurs églises. De 1760 à 1790, une vingtaine d'églises subissent des travaux de réfection considérables, tandis que près de 40 édifices religieux sont érigés.

La reconstruction sommaire des églises se fait selon l'état ancien de l'édifice. Il n'y a guère de paroisses où les événements de 1759 suscitent chez les paroissiens le goût de remplacer leur église en état de servir après quelques travaux sommaires. Lorsque peu à peu les édifices du Régime français sont remplacés par des structures nouvelles, c'est d'abord le site de l'édifice qui est remis en cause. L'ouverture des voies terrestres et les inconvénients d'un site trop riverain (exposé aux crues, aux glaces et à l'ennemi arrivant par voie d'eau) militent en faveur d'un recul à l'intérieur des terres. C'est le cas à Saint-Joachim, entre autres.

Mais quelle est la nature de l'architecture religieuse durant ces trente années qui suivent la Conquête? Sous le Régime français, comme nous l'avons déjà signalé à quelques reprises, la Nouvelle-France s'était dotée d'une tradition architecturale dans les paroisses. Cette tradition était cependant issue des modèles architecturaux locaux nés de l'implantation d'une architecture monumentale au Québec, l'église des Jésuites, Notre-Dame de Montréal, l'église des

fig. 21
Saint-Joachim. Vue du portail du presbytère, construit d'après le modèle de celui du château Bellevue.
(Photo Guy Giguère)

Récollets furent autant de sources d'inspiration pour les constructeurs d'églises de la première moitié du XVIIIe siècle. Avant d'aborder en détail l'aventure de l'architecture paroissiale dans la deuxième moitié de ce siècle, il convient de s'interroger sur le sort de ces grands édifices religieux après la Conquête.

L'église Notre-Dame de Montréal ne subit aucune modification importante avant 1800. Après la construction de sa façade par Gaspard Chaussegros de Léry en 1723, on s'était contenté de l'élargir par l'aménagement de bas-côtés, avant la Conquête. En 1777, on dresse enfin un clocher sur la seule des deux tours complétées. Pour le reste, l'installation de galeries à l'intérieur permet, tant bien que mal, d'accueillir une population sans cesse grandissante (fig. 22).

La cathédrale de Québec a été complètement ruinée par les bombardements de la ville. Il faut cependant attendre plusieurs années avant de voir s'amorcer des travaux de reconstruction. Ceci s'explique par le statut de cette église dont le sort est lié à celui de l'évêque. En 1766, les marguilliers de la paroisse de Québec soumettent un plan de rétablissement dessiné

fig. 22
Montréal. Vue latérale de l'église Notre-Dame, au début du XIXe siècle.
(Photo Inventaire des Biens Culturels)

par Jean Baillairgé, jusque-là menuisier et entrepreneur et qui, pour l'occasion, devient architecte (fig. 23). En gros, on envisage de reconstruire l'église telle que l'avait construite Chaussegros de Léry de 1744 à 1749. Dans un premier temps, on songe cependant à donner moins de hauteur à l'édifice et à le couvrir d'une seule charpente, au lieu des trois charpentes d'avant la Conquête (nef principale et deux bas-côtés). Ce système aurait eu comme résultat de supprimer les fenêtres hautes et les tribunes, éléments de l'architecture académique française qui distinguaient jusque-là l'église-mère de l'architecture des paroisses rurales. Ce projet est d'abord accepté, puis rejeté lorsqu'on se rend compte que, par-là, on rangerait la cathédrale, par on architecture, parmi les églises paroissiales, ce qui paraît «absurde» aux yeux des paroissiens de Québec. Dans un deuxième temps, on opte donc pour le rétablissement de l'église comme l'avait construite Chaussegros de Léry, à peu de choses près. En effet, dès qu'elles sont reconstruites, les fenêtres hautes et les tribunes de l'église sont bouchées par des planches. De même le clocher reconstruit d'après le plan de Jean Baillairgé subit une nette réduction, par rapport à ce qu'il était avant la Conquête (catalogue no 8).

Dans son ensemble, l'édifice reconstruit de 1766 à 1771 ressemble donc à la cathédrale de 1744. Les modifications apportées aux plans originaux de l'ingénieur du Roi ont toutefois eu comme conséquence de rendre moins imposante et spectaculaire la cathédrale de 1771. Tout comme les paroissiens du Québec, ceux de Notre-Dame se sont rattachés au passé, à cette différence que le défi était de taille. Dès lors, ce n'est qu'une faible réplique du modèle original que nous proposent les vues de la cathédrale après sa reconstruction. Rien d'étonnant donc à ce que ce bâtiment ait perdu sa fonction de modèle architectural (fig. 24).

L'église des Jésuites, pas plus que celle des Récollets ou la chapelle du palais épiscopal, ne pouvait revendiquer sa splendeur ancienne, à la suite des bombardements. Dès lors, rien d'étonnant à ce que l'on ait arrêté de les considérer comme des modèles éventuels.

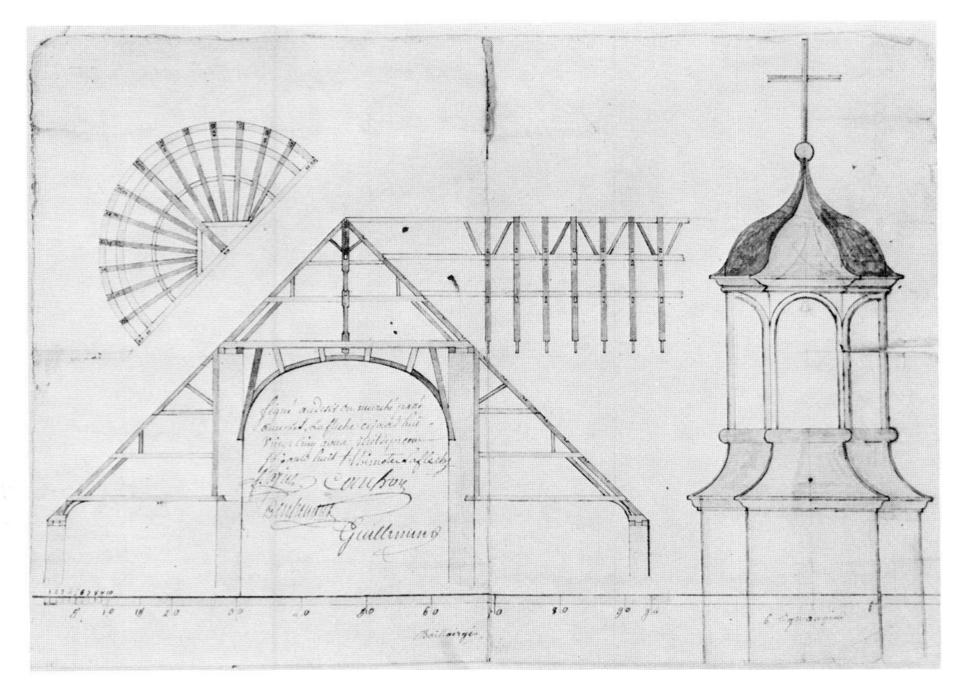

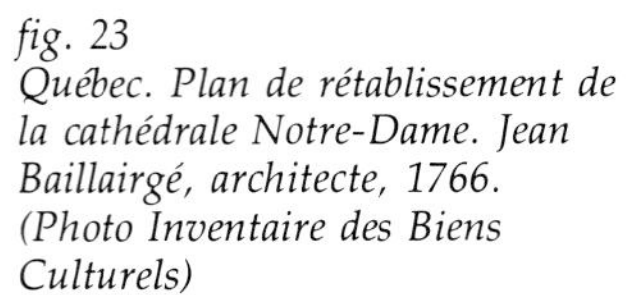

fig. 23
Québec. Plan de rétablissement de la cathédrale Notre-Dame. Jean Baillairgé, architecte, 1766. (Photo Inventaire des Biens Culturels)

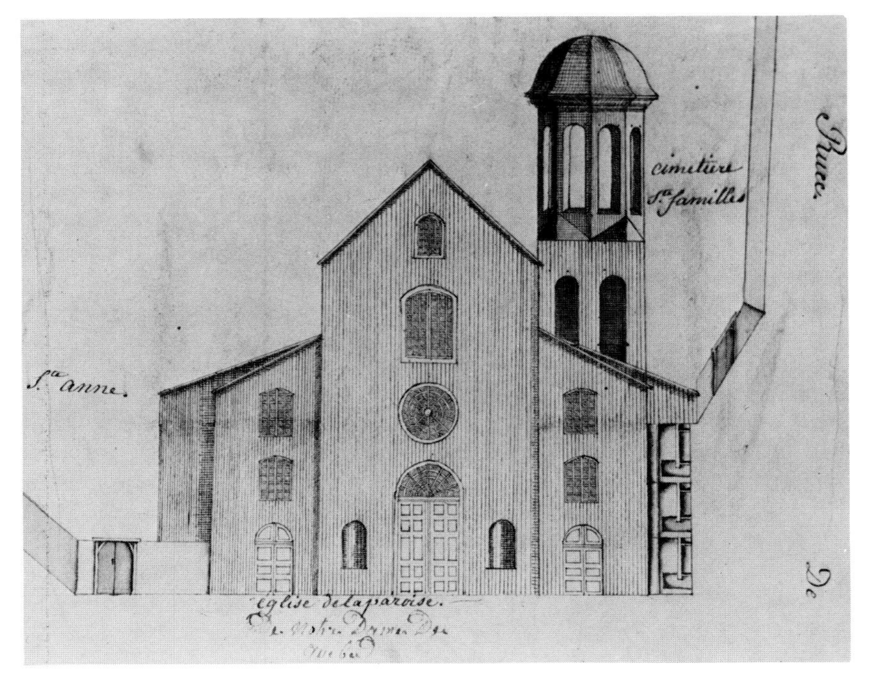

fig. 24
Québec. Vue de la cathédrale en 1782. Dessin de Jacques Dénéchaud, marguillier. (Photo Inventaire des Biens Culturels)

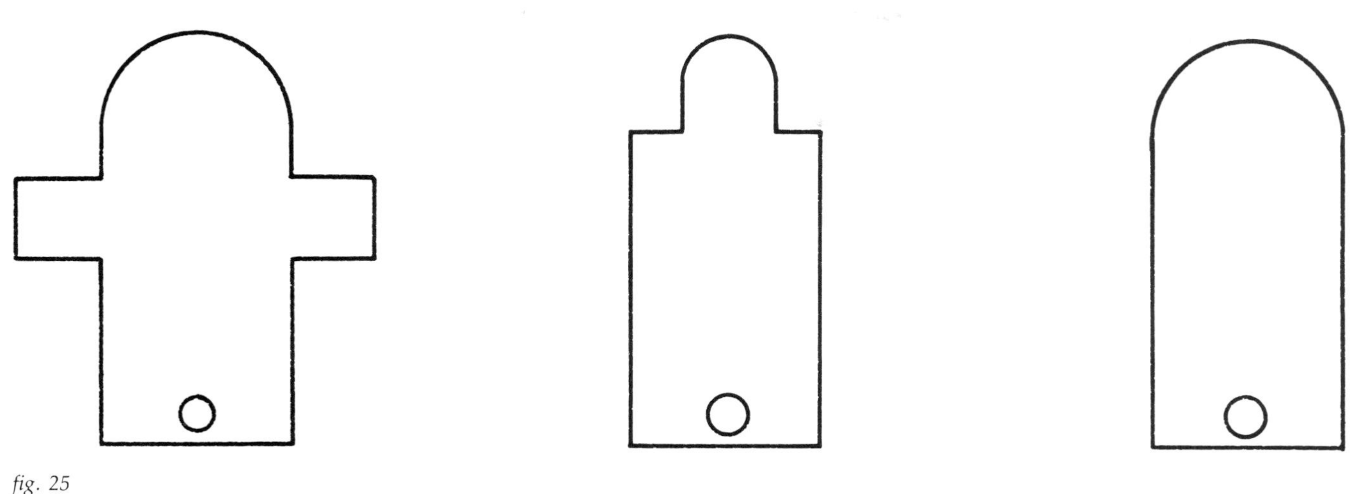

fig. 25
Types de plans utilisés dans l'architecture paroissiale de 1760 à 1790: 1) le plan jésuite, 2) le plan récollet, 3) le plan Maillou.
(dessin de Georges Léonidoff)

Les maîtres-d'oeuvre des églises nouvelles construites avant 1790 se sont donc repliés sur eux-mêmes, en prenant comme modèles les églises paroissiales qu'ils remplacent ou celle des paroisses voisines. Dès lors, trois types de plans vont présider à la construction, ceux-là mêmes qui s'étaient imposés de 1700 à 1750: le plan jésuite, le plan récollet et le plan Maillou (fig. 25).

Le plan jésuite est composé d'une nef coupée aux deux tiers par un transept qui forme deux chapelles latérales. La nef est coiffée d'une abside circulaire, et l'église est dotée d'un clocher en façade. Très répandu après 1700 dans les paroisses rurales du Québec, ce type d'église connaît une grande vogue après la Conquête, alors qu'on se contente tout simplement d'en étirer les proportions pour loger un plus grand nombre de fidèles. Les églises de Saint-Joachim (fig. 26), de Saint-Antoine-de-Tilly, de Saint-Pierre-de-Montmagny, de la Baie-Saint-Paul, de Berthierville, toutes construites avant 1790, relevaient du plan jésuite avant qu'elles ne subissent des modifications (façade, toitures). Comme variante de ce type d'architecture, on rencontre quelques édifices dont le choeur est formé par un chevet plat. C'est le cas à Verchères et à Sainte-Jeanne-de-Chantal de l'Île Perrot. Il se présente aussi à l'occasion un chevet à pans coupés, à Vaudreuil par exemple. Une variante plus importante du plan jésuite, à la suite des exemples de la Sainte-Famille et du Cap-Santé, se retrouve dans un type d'église dotée de deux tours en façade. C'était le cas à Varennes et à Saint-Joseph-de-Beauce.

Le plan récollet reprend le modèle des églises des Récollets de Montréal (1709) et de Québec (1692) à travers de nombreuses réalisations paroissiales, comme à Saint-François et à Saint-Jean de l'Île d'Orléans. Il s'agit d'une large nef fermée par un choeur plus étroit, sans transept. Dès lors, c'est le rétrécissement du sanctuaire qui délimite deux chapelles latérales intérieures. Les églises de l'Islet et de Saint-Jean-Port-Joli (fig. 27) sont encore aujourd'hui les exemples les plus célèbres de la diffusion de ce plan après la Conquête. Malgré les adjonctions ultérieures à Saint-Jean-Port-Joli, c'est sur la recommandation expresse de l'évêque que les paroissiens accolent au plan original deux

fig. 26
Saint-Joachim (Montmorency). Vue latérale de l'église construite en 1777.
(Photo Inventaire des Biens Culturels)

minuscules chapelles latérales. Comme quoi, ce plan récollet plaît moins aux autorités ecclésiastiques que le type précédent.

Finalement, le genre d'église présenté par le plan Maillou, lui-même dérivé de l'exemple de la chapelle du palais épiscopal, trouve quelques adeptes. Composé d'une nef coiffée d'un choeur en hémicycle de même largeur et sans chapelles, ce plan se retrouve à la chapelle du domaine du Séminaire à Saint-Joachim (fig. 28). Même la chapelle Cuthbert à Berthier, vouée au culte anglican, en adopte les grandes lignes. Plusieurs églises de paroisses nouvelles ont dû suivre ce plan simple, mais les édifices de la deuxième ou troisième génération qui les ont remplacées aujourd'hui en ont effacé la trace.

Outre cette permanence des plans anciens, la période qui nous concerne voit apparaître un changement majeur en architecture religieuse: la construction généralisée de sacristies. Ce changement amène une double transformation des églises. D'abord en plan, alors qu'après 1760 l'église est dotée d'une annexe située dans le prolongement du choeur. Ensuite, transformation du décor intérieur, alors que la disparition de la sacristie intérieure permet le dégagement complet du rond-point. Ceci entraîne la disparition du retable en arc de triomphe adossé à la cloison qui séparait le sanctuaire de la sacristie intérieure (fig. 29). Ce changement majeur sera à l'origine du renouveau architectural qui amènera François Baillairgé dans la région de Québec et le groupe de Louis-Amable Quévillon dans la région montréalaise à proposer un nouveau type d'ornementation intérieure de 1790 à 1820.

Toutefois, en ce qui nous concerne nous n'avons pas conservé un grand nombre d'éléments de l'architecture intérieure des églises de 1760-1790. Quelques fragments de retables attribués à Philippe Liébert sont visibles à Vaudreuil, à Châteauguay et à Repentigny. Dans la région de Québec, seuls deux retables exécutés par Pierre Émond existent encore. Celui de la chapelle de l'Hôpital Général (fig. 30) témoigne bien de la référence qui est faite au Régime français, si on le compare au retable des Ursulines. On se doit cependant de noter un certain dessèchement de

fig. 27
Saint-Jean-Port-Joli. Vue latérale de l'église, construite en 1780-82.
(Photo Inventaire des Biens Culturels)

fig. 28
Saint-Joachim. Vue ancienne de la chapelle du Petit-Cap, construite en 1780. par Michel-Augustin Jourdain.
(Photo Archives nationales du Québec)

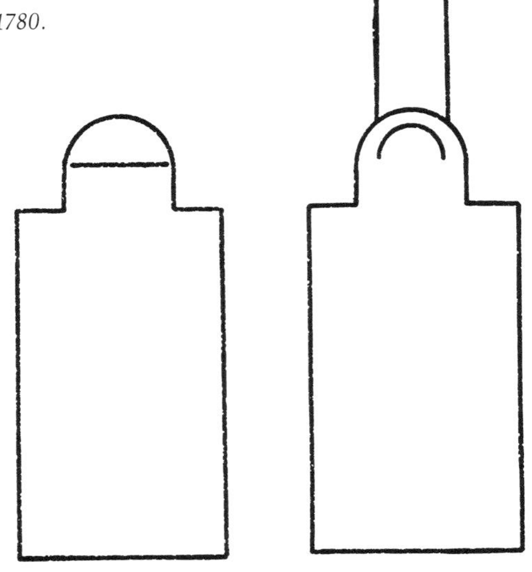

fig. 29
Schéma illustrant l'adjonction d'une sacristie extérieure au plan et consécutivement le déplacement du retable.
(dessin de Georges Léonidoff)

fig. 30
Québec. Vue ancienne du retable de l'Hôpital général, érigé vers 1770 par Pierre Émond.
(Photo Inventaire des Biens Culturels).

la formule. Le traitement moins fin témoigne plutôt de l'art du menuisier devenu sculpteur dans un milieu où la concurrence sur le plan de la qualité se fait rare. Le retable de la chapelle de Mgr Briand au Séminaire de Québec est plus éloquent quant à l'art du sculpteur, mais il s'agit là d'une oeuvre unique qui n'est pas comparable par sa forme à une autre production du Régime français. Ces deux exemples et les nombreuses mentions retrouvées relatives aux décors intérieurs des églises de 1760 à 1790 nous permettent toutefois d'affirmer que, durant ces trente années, on n'a pas atteint la grandeur des oeuvres du Régime français. Pas plus d'ailleurs qu'on ne se rapprochera de la qualité des ensembles produits par la suite. Cela tient, certes, aux conditions économiques encore incertaines, mais surtout à l'absence d'une main-d'oeuvre spécialisée numériquement suffisante. Le caractère sommaire des décors intérieurs réalisés avant 1790 explique leur remplacement par des ensembles plus permanents et d'une meilleure qualité par la suite. D'où la rareté actuelle des réalisations de cette époque.

6. *L'architecture domestique*

De 1760 à 1790 l'architecture domestique connaît un grand essor, non pas tellement par l'innovation sur un plan formel mais plutôt par un accroissement spectaculaire en nombre. En effet, de 1760 à 1790, la population du Québec passe de 60,000 habitants à plus de 160,000. L'essentiel de ce surplus de population trouve son gagne-pain dans l'agriculture. Ce sont donc les établissements en milieu rural qui s'accroissent de façon considérable. Si, dans un premier temps, il faut reconstruire là où la Conquête a laissé des traces, il faut aussi rapidement songer à des demeures plus vastes pour les familles plus nombreuses. Puis, au terme d'une génération, il faut accroître considérablement le patrimoine immobilier pour loger cette nouvelle population.

Le signal du départ est donné à Québec, immédiatement après la Conquête, alors qu'on procède à la reconstruction des quelques centaines de maisons détruites. Les gravures de Short nous renseignent sur l'effort de construction qu'il faut déployer pour mettre

fig. 31
Québec. La maison Stuart (appelée Louis Baudouin) à la place Royale.
Construite en 1764 et reconstituée dernièrement. (Photo Inventaire des Biens Culturels)

fig. 32
Québec. La maison Maillou, construite en 1738, surhaussée d'un étage vers 1770 et allongée par la suite.
(Photo Guy Giguère)

fig. 33
Québec. La maison Légaré ou Vanfelson, construite en 1779-80 et reconstituée dernièrement.
(Photo Guy Giguère)

à l'abri la population de la ville (fig. 1, 2, 3). À la place Royale, par exemple, il faut reconstruire les édifices détruits. Dans la plupart des cas, on se contente de remettre les édifices dans leur état ancien. Plusieurs nouvelles constructions remplacent cependant les maisons trop endommagées ou occupent les terrains vacants. C'est le cas des maisons Louis Beaudoin (1764), (fig. 31) Dupont-Renaud (1769) Le Picard (1763) et Saint-Amand (1761-69). Telles qu'elles apparaissent aujourd'hui, ces maisons ne diffèrent en rien de l'architecture du Régime français: la tradition architecturale établie se perpétue. Le cas de la place Royale est cependant particulier, l'effort des restaurateurs ayant contribué à recréer artificiellement une unité architecturale factice par le procédé de la reconstitution.

Quelques édifices de la haute-ville de Québec nous renseignent mieux sur le sens de cette architecture qui devient traditionnelle parce que figée sur le plan de l'évolution formelle. La Maison Maillou, au 17 rue Saint-Louis, construite en 1738 est surhaussée d'un étage vers 1770 et allongée par la suite (fig. 32). La maison, aujourd'hui occupée par l'armée, au 57 et 59 rue Saint-Louis subit le même sort vers 1790. Plusieurs autres maisons sont ainsi exhaussées, pour répondre à une densité de population plus grande. Dès lors, avec la construction d'une série de nouvelles habitations, l'architecture domestique de la haute-ville va reprendre les grandes lignes de cette architecture urbaine, déjà présente à la basse-ville avant la Conquête. La maison Vanfelson, sur la rue Desjardins, reconstituée dernièrement dans son état original, est un exemple de cette mutation de la haute-ville en lieu densément peuplé (fig. 33); la hauteur des maisons passe de façon généralisée à au moins deux étages. Un dessin réalisé au début du XIXe siècle, montrant la côte de La Fabrique, témoigne de ce nouveau paysage urbain, rétabli ou reconstruit à neuf après la Conquête (fig. 34).

Cette architecture n'innove pas plus au niveau des formes que des matériaux et des techniques de construction. On continue à utiliser les mêmes matériaux de construction, de charpente et de couverture qu'auparavant. Les maîtres-d'oeuvre ne retrouvent cependant pas la rigueur des ordonnances des inten-

fig. 34
Québec. Vue des maisons de la côte de la Fabrique. Dessin de Sempronius Stretton en 1806. (Photo Archives publiques du Canada)

dants dans un premier temps. Dès lors, face à un relâchement dans les habitudes, les Juges de Paix doivent intervenir pour régir la construction et le ramonage des cheminées, pour maintenir les murs coupe-feu et recommander l'utilisation d'un matériau de couverture incombustible. Avant 1790, on ne peut cependant guère affirmer que ces indications ont été scrupuleusement suivies.

Dans plusieurs cas, la tôle à la canadienne est utilisée, comme à la maison Vanfelson, en remplacement du bardeau. Cet usage, déjà connu sous le Régime français, se multipliera surtout au XIXe siècle avec l'importation massive de ce matériau. Vers la fin de la période qui nous concerne, plusieurs maisons sont construites avec des encadrements de bois autour des ouvertures au lieu de la pierre de taille. Dès lors des chambranles moulurés apparaissent sur les façades au lieu de la pierre à chaux peignée, peinte en imitation de bois. Un examen rapide des charpentes de toitures érigées durant ces quelque trente années confirme la persistance des traditions françaises aussi dans ce domaine. Ce n'est qu'avec l'avènement de l'architecture palladienne anglaise qu'apparaîtront, entre 1790 et 1800, les toitures moins élevées et supportées par des charpentes plus légères. C'est donc le renouveau formel qui amènera les innovations en matière de techniques de construction.

L'époque 1760-1790 est cependant unique par l'aménagement de quelques intérieurs de maisons de bourgeois aisés. On retrouve, en effet, plusieurs demeures ornées de panneaux Louis XV, finement sculptés. La maison Vanfelson en a conservé de beaux exemples, tandis que ceux de la maison Estèbe, au 92 de la rue Saint-Pierre, sont mystérieusement disparus en cours de restauration. Ces ouvrages sur bois témoignent, comme les retables que nous avons signalés, de la persistance de la tradition de sculpture sur bois. Généralement attribués à Pierre Émond, ces riches ouvrages se comparent avantageusement à ceux réalisés par le même sculpteur à l'Hôpital Général vers 1770. Ce sont, aujourd'hui, les rares rappels des riches lambris de l'art du Régime français.

A Montréal, la situation ne se présente guère différemment, sauf que là il n'y a rien à reconstruire après la Conquête. C'est donc l'accroissement naturel de la population qui exige, en de nombreux endroits, des habitations plus vastes, occupant tous les terrains disponibles, et à deux étages. C'est le cas des maisons situées autour de l'actuelle place Jacques-Cartier et ses environs, dont plusieurs ont été reconstituées dans les dernières années. La maison du Patriote, la maison Viger, la maison Pierre du Calvet (fig. 35), la maison Del Vecchio et la maison Bertrand sont autant d'édifices érigés après 1760 mais qui, par leurs formes et leurs matériaux, s'apparentent à l'architecture du Régime français, du moins telle qu'on la pratiquait à la basse-ville de Québec. La densité moins grande de la population montréalaise jusqu'à l'avènement du XIXe siècle explique la persistance d'une architecture d'un gabarit moins élevé, comme en témoigne un dessin de la rue Saint-Jacques, réalisé vers 1805 (fig. 36).

En milieu rural, l'architecture domestique se distingue par le nombre important de ses productions. Et c'est là que la tradition exercera son emprise pour s'y installer longtemps. Le XVIIe siècle avait vu le territoire québécois se parsemer de maisons de bois, à quelques rares exceptions près. Le début du XVIIIe siècle marque, de façon générale, le début d'une implantation plus permanente; on construit donc souvent en pierre. Mais rares sont les demeures réalisées en dur dont le plan s'étire du carré vers le rectangle. Aussi, après la Conquête, procède-t-on à l'agrandissement de ces petites demeures pour ensuite en construire de semblables qui atteignent leurs dimensions actuelles dès leur mise en chantier. Sans atteindre les proportions du début du XIXe siècle, ces maisons sont malgré tout de dimensions fort respectables.

Peu d'exemples subsistent des périodes précédentes; et, comme le corpus des maisons est fort peu documenté, il est difficile, dans l'état actuel des connaissances, d'élaborer largement sur les caractères particuliers de l'habitation rurale de cette période. Nos premiers historiens d'art et d'architecture ont allègrement daté la plupart de ces maisons de la première moitié du XVIIIe siècle et même de la fin du XVIIe siècle. Après l'établissement d'un dossier historique complet, elles se révèlent être des structures dont la forme a été réalisée dans la seconde moitié du XVIIIe

fig. 35
Montréal. Vue latérale de la maison Pierre du Calvet, construite vers 1770.
(Photo Direction générale du Tourisme)

fig. 36
Montréal. Vue de la rue Saint-Jacques au début du XIXe siècle. Dessin publié en 1805 par John Lambert.
(Photo Inventaire des Biens Culturels)

siècle. Il en est ainsi de la maison Girardin à Beauport, de la maison Soulard à Neuville (fig. 37) et de la maison Morisset au Cap-Santé.

Quelques types d'architecture retiennent cependant l'attention. C'est visiblement la présence d'un monument important (presbytère, manoir ou autre) qui a pu être à l'origine du développement de certaines formes. Ainsi, à Neuville, une équipe du Ministère des Affaires culturelles a dressé un inventaire qui démontre une certaine parenté formelle entre les différentes maisons réalisées dans la seconde moitié du XVIIIe siècle (plan, hauteur des murs, angles du pignon). Il se peut que ces bâtiments fassent référence à un modèle unique, aujourd'hui disparu. Nous avons démontré le sens de cette diffusion à partir d'un modèle lors de l'analyse des bâtiments du Séminaire sur la côte de Beaupré.

À Montréal, le même phénomène semble se produire à partir du château de Ramezay. Reconstruit en 1755, ce bâtiment acquiert alors les caractéristiques architecturales qui soulèvent encore notre intérêt aujourd'hui: plan massif, élévation d'un seul étage en façade principale, murs coupe-feu en saillie et cheminées larges. Ces particularités se retrouvent sur un grand nombre d'édifices érigés en milieu rural par la suite. La maison Beauchemin à Varennes est un excellent exemple de cette transposition des caractéristiques de l'architecture urbaine en milieu rural (fig. 38).

Cette vue d'ensemble rapide sur la production architecturale de la seconde moitié du XVIIIe siècle dégage l'intérêt de cette période. Pendant près de trente ans, avant l'apparition des premières traces de l'influence anglaise, les bâtisseurs du Québec façonnent une architecture entièrement basée sur les exemples que leur a laissés le Régime français. En début de siècle (1700-1760), cette architecture cherche à s'adapter. Elle est en pleine évolution. Puis, de 1760 à 1790, cette évolution s'interrompt. Trente années suffiront pour rendre cette architecture traditionnelle et lui garantir un caractère permanent.

Dès lors, lorsqu'apparaîtra l'architecture palladienne anglaise (1790-1820) ou encore le néo-classicisme pré-victorien (1820-1850) deux types d'architecture s'opposeront. D'une part, les grandes réalisa-

fig. 37
Neuville. La maison Soulard, construite vers 1765.
(Photo Inventaire des Biens Culturels)

fig. 38
Varennes. La maison Beauchemin, construite vers 1770.
(Photo Inventaire des Biens Culturels)

fig. 39
Québec. Vue de la maison Maizerets, construite en 1777, agrandie en 1824 et en 1850.
(Photo Inventaire des Biens Culturels)

tions, souvent transpositions littérales de mouvements européens ou américains. D'autre part, cette architecture traditionnelle sera vivace jusqu'à la fin du XIXe siècle, surtout en milieu rural. Les courants académiques n'y auront de prise que sur le plan de l'ornementation, dans un premier temps. À plus long terme, l'architecture traditionnelle subira cependant l'effet des influences nouvelles, mais avec un décalage de quelques dizaines d'années.

À titre d'exemple du processus d'évolution de l'architecture traditionnelle, revenons sur l'exemple de la maison Maizerets, propriété du Séminaire. L'édifice de 1777 est agrandi en 1824, mais en conservant les mêmes matériaux et en respectant le même principe formel d'origine: deux étages, toit en pavillon, encadrement des fenêtres en pierres de taille, etc. Le bâtiment subit un nouvel agrandissement en 1850. Cette fois, le mur extérieur de l'allonge est surmonté d'un pignon en pierre (fig. 39). La tradition architecturale est cependant maintenue dans ses grandes lignes; mais, comme les toitures en pavillon sont disparues à cette époque, par goût de symétrie, on ne juge pas utile d'en refaire une. Par contre, au Petit-Cap, le bâtiment allongé en 1870 est doté d'un toit pavillon, visiblement par souci d'unité (fig. 40). Ce sont là deux exemples où l'architecture monumentale n'a pas influencé les adjonctions. La forme déjà existante des édifices suffisait en soi pour guider les constructeurs.

Si on observe maintenant les maisons construites par Thomas Baillairgé à Québec (aux 41 et 43, rue Saint-Louis notamment), on note la force de la tradition dans l'utilisation des matériaux, la présence des murs coupe-feu supportés par des corbeaux et la forme de la toiture. Par contre, le portail sculpté, la corniche à modillons et la réduction des fenêtres à l'étage de l'attique sont des éléments propres au renouveau classique, influent au Québec de 1820 à 1850 (fig. 41). L'emprise des courants nouveaux se fera aussi sentir en architecture religieuse où la tradition s'était bien implantée avant 1790. La tradition orientera cependant le renouveau dans le sens d'une intégration: ce sera le néo-classicisme québécois de Thomas Baillairgé.

fig. 40
Saint-Joachim. Vue du château Bellevue au Petit-Cap. Édifice construit en 1777-78 et agrandi en 1870.
(Photo Archives nationales du Québec)

Dans tous les cas la permanence du caractère français de l'architecture québécoise au XIXe siècle est due à ces trente années de repli, permettant la consolidation de la tradition et la naissance d'une architecture traditionnelle. Cette période a suffi pour que les nouveaux courants d'architecture ne puissent faire table rase de l'acquis, comme l'avaient fait les Français avec l'architecture des Amérindiens.

Luc Noppen
Professeur d'art du Québec
Faculté des Lettres
Université Laval
mai 1977

fig. 41
Québec. Maisons aux 41 et 43, rue Saint-Louis. Thomas Baillairgé, architecte, 1832-34.
(Photo Guy Giguère)

INDICATIONS BIBLIOGRAPHIQUES

Drolet, Antonio. *La ville de Québec; histoire municipale II (1759-1833).* Québec, Société historique de Québec, 1965, 140 p. En coll. *Concept général de réaménagement du Vieux-Québec.* Québec, Commission d'aménagement, 1970. Gaumond, Michel. *La Place Royale, ses maisons, ses habitants.* Québec. Min. des Affaires culturelles, 1976. Hamelin, Jean et coll. *Histoire du Québec.* Toulouse, Privat, 1976, pp. 231-281. Laframboise, Yves, *Neuville, architecture traditionnelle.* Québec, Min. des Affaires culturelles, 1976, 291 p. Marsan, Jean-CLaude. *Montréal en évolution.* Montréal, Fidès, 1974. Morisset, Gérard. «Après le Traité de Paris» dans *Bulletin des Études Françaises,* mai 1942, pp. 181-184. Noppen, Luc. *«Le renouveau architectural proposé par Thomas Baillairgé de 1820 à 1850.* Thèse de doctorat de l'Université de Toulouse «Le Mirail», 1976. Noppen, Luc et coll. *La Maison Maizerets: dossier d'inventaire architectural.* (texte polycopié). Québec, Centre de Documentation de l'Inventaire des Biens Culturels, 1975, 100 p. Noppen, Luc. «L'évolution de l'architecture religieuse en Nouvelle-France» dans *Sessions d'étude 1976. Société Canadienne d'Histoire de l'église Catholique,* p. 69-78. Richardson, A.J.H. «The buildings in the old city of Quebec» dans *APT Bulletin,* Vol II, nos 3-4, 1970, 144 p. Thibault, Claude. *Trésors des Communautés Religieuses de la ville de Québec.* Québec, Musée du Québec, 1973, 199 p.

Imprimé au Canada